Comment se servir de ce guide

- Tous les conseils utiles sont regroupés dans le chapitre *Berlitz-Info* (p. 100). Pour connaître le contenu des *Informations pratiques* (pp. 106–125), voyez l'intérieur de la page de couverture, en début de guide.

- Pour mieux situer la région, lisez *La Côte d'Azur et ses habitants,* page 6, et *Un peu d'histoire,* page 10.

- Tous les sites et monuments sont décrits de la page 20 à la page 77. Nous vous en recommandons plus particulièrement certains que nous vous signalons par le symbole Berlitz.

- Vous saurez comment vous distraire en parcourant les pages 77 à 91, qui recèlent tout ce qu'il faut savoir en matière de vie culturelle ou nocturne, de fêtes ou de sports. De la page 91 à la page 99, vous apprendrez comment découvrir la Provence dans votre assiette.

- Un index (pp. 126–128), enfin, vous permettra de retrouver immédiatement tout ce que vous recherchez.

Bien que l'exactitude des informations rassemblées dans le présent guide ait été soigneusement vérifiée, elle n'en est pas moins subordonnée à des fluctuations temporelles. Aussi ne saurions-nous assumer de responsabilité pour des modifications de faits, d'adresses, de prix et d'autres éléments sujets à variations. Nos guides étant remis à jour régulièrement, nous examinons volontiers toutes les remarques dont nos lecteurs voudraient bien nous faire part.

Texte établi par Suzanne Patterson
Adaptation française: Gérard Chaillon
Rédactrice: Isabelle Turin
Photographie: Monique Jacot
Maquette: Doris Haldemann
Nos remerciements vont aussi à M. Pierre-André Dufaux, M. et Mme Jean Fischbacher et à Bob Davis pour leur aide précieuse lors de la mise au point de ce guide. Merci aussi à la Société des Bains de Mer de Monte-Carlo, aux Caves de la Madeleine à Paris, ainsi qu'aux Offices du Tourisme de Nice, de Cannes et des Alpes-Maritimes de leur collaboration efficace.
Cartographie: Falk-Verlag, Hambourg.

Table des matières

Cartographie

La Côte d'Azur et ses habitants

Côte d'Azur ou Riviera? Ou simplement «la Côte»? Qu'importe, puisque c'est le paradis sur terre. Un paradis chanté, raconté, peint, photographié. Avec un rayonnement, un prestige plus grand que pour aucun littoral au monde. La Côte qu'on dirait d'or si elle n'était d'azur, en raison du boom immobilier, en raison,

aussi, du coût de la vie, l'un des plus élevés du monde...

La Riviera évoque des images: les millionnaires désœuvrés, la mer limpide, les palaces roses de la Belle Epoque ou des «années folles». Ce terme de Riviera désigne non seulement le littoral, mais aussi l'arrière-pays, de la région de Cassis à la

Il n'y a pas que les marins pour apprécier le charme de Port-Grimaud...

frontière italienne. Les rubans ténus de sable doré s'inclinant vers une mer d'azur, et, de Nice à Monte-Carlo, les vues grandioses que ménage la Grande Corniche, suscitent un sentiment d'admiration justifié.

Partez explorer les villages issus du Moyen Age: bon nombre d'entre eux sont aujourd'hui abandonnés ou presque. Les uns sont hardiment perchés, les autres s'accrochent au hasard de la pente. Les bouquets de cyprès et les olivettes argentées; les mimosas épanouis et les roses éclatantes; les garrigues presque impénétrables où flottent les senteurs capiteuses du thym,

portant: la Provence produit des fruits et des légumes magnifiques, des olives, de l'huile d'olive et du vin.

La Côte attire hélas trop les foules pour qu'on y trouve encore des plages désertes. La densité de la population y est, en effet, très élevée. Marseille est, par l'importance, la deuxième ville de France, Nice la cinquième, et la région voit sa population doubler, ou presque, en été.

Quant aux Provençaux, ils se révèlent, tant par l'humeur que par la volubilité, plus proches des Italiens que de leurs compatriotes. Tenants de la «langue d'oc», ils ont su conserver différents parlers, difficilement intelligibles aux Français originaires de régions éloignées.

Dans la vie de tous les jours, les Méridionaux se comportent un peu comme les héros de Pagnol. Au-delà des sourires amicaux, il y a force haussements d'épaules et roulements d'yeux. Et, rançon d'un tempérament particulièrement vif, les

A la baie des Anges, si on se lève tôt, on a toute la plage pour soi.

du romarin et de la lavande; c'est le Midi, tout cela, au même titre que la «Grande Bleue». Alors, pour goûter pleinement le sel de l'existence, allez vous asseoir sur quelque place, dans l'ombre tutélaire des platanes. Et là, le murmure des fontaines se mariant aux conversations alanguies, apprenez à vous détendre.

En Provence, le soleil brille deux fois plus qu'à Paris. Hors saison, pourtant, le climat n'est pas toujours idéal et le pays a sa part de jours frais, voire froids en hiver, surtout à l'ouest. Au début de l'été, le mistral peut encore se déchaîner dans la vallée du Rhône. S'il ternit les chaudes couleurs de la Provence, il accable aussi les gens par son rugissement continu et irritant, et il décourage même les baigneurs.

On ne saurait s'étonner, à voir les couleurs éclatantes, la lumière radieuse et subtile du Midi, que de nombreux artistes, depuis Fragonard, aient été attirés par cette région bénie: Monet, Matisse, Dufy, Picasso, et bien d'autres...

Le tourisme constitue l'activité majeure d'une région où l'industrie n'est représentée que par les constructions navales, la céramique, la verrerie, la parfumerie et le prêt-à-porter. L'agriculture joue un rôle im-

poings sont vite brandis! N'importe, l'atmosphère est, dans l'ensemble, bon enfant. Alors, desserrez votre nœud de cravate, et oubliez l'heure et l'étiquette.

Sachez jouir tout simplement de la bonne chère, des bons vins, de l'amabilité provençale, des paysages splendides et du soleil prodigue.

Tout le charme de l'arrière-pays (ici: St-Paul-de-Vence).

Un peu d'histoire

Les charmes de la Riviera ont été découverts au cours de la préhistoire. De nombreux objets, mis au jour à Beaulieu, à Nice et dans les grottes de Grimaldi, attestent, en effet, que la région a été occupée dès le paléolithique.

L'histoire prend consistance avec l'arrivée des Ligures, qui s'établissent sur la côte vers l'an 1000 avant notre ère. Quatre

siècles plus tard, l'arrivée des (inévitables) galères grecques force les Ligures à se replier plus à l'est. Or, les Grecs, en l'occurrence les Phocéens, sont d'actifs commerçants. Ils fondent Marseille, La Ciotat, Antibes, Nice. Par deux fois, pour combattre les Ligures, ils appellent les Romains à la rescousse.

Mais, en 125 av. J.-C., les Romains, décidés à se frayer un chemin jusqu'à leur colonie ibérique, passent à l'action pour leur propre compte. Ils fondent alors la Provincia Narbonensis, future Provence. Parmi les grandes villes élevées à l'époque figurent Narbonne, la capitale (118 av. J.-C.), Aix (123 av. J.-C.) et Fréjus (49 av. J.-C.).

Les Grecs ont apporté la civilisation et implanté l'agriculture. Les Romains introduiront, eux, une administration, des lois et des techniques agricoles. Leur influence durera environ quatre siècles. Et cette période de paix relative, la *pax romana*, verra les «voies» se multiplier, et les cités prospérer dans toute la Gaule méridionale.

Le temps des troubles
Au cours des premiers siècles de notre ère, le christianisme se

répand graduellement autour de la Méditerranée. En 450, l'Eglise de Provence est officiellement constituée dans la ligne de l'administration romaine. Mais, du Ve au VIIe siècle, les invasions barbares déferlent par vagues successives, anéantissant l'ordre établi.

Les Francs ont beau l'emporter, la Provence demeure relativement autonome jusqu'à l'arrivée de Charles Martel au pouvoir. Ce dernier étend *manu militari* son autorité à la Provence. Le règne de Charlemagne (771−814) marque le retour à une certaine tranquillité. Mais, l'empereur mort, ses descendants se disputent l'héritage. En 843, le Traité de Verdun partage l'empire entre ses trois petits-fils. La Provence échoit alors à Lothaire Ier. Lorsque le fils de ce dernier, Charles, s'assure de la Provence en 855, il l'érige en royaume.

Dès l'aube du IXe siècle, cependant, la côte fait l'objet, constamment, de raids menés depuis l'Afrique du Nord par les Maures ou Sarrasins. En 884, ces pillards établissent même une base – véritable nid d'aigle – à La Garde-Freinet (dans les... Maures). Avant d'être chassés, près d'un siècle plus tard, par Guillaume le Libérateur, les Sarrasins auront

contraint nombre de seigneurs du coin à se réfugier dans les collines de l'arrière-pays: telle est l'origine de ces villages perchés qui parsèment encore le Midi.

Les comtes de Provence

Au Xe siècle, la situation s'améliore sensiblement. Les Sarrasins rejetés à la mer, les comtes de Provence s'affirment comme des souverains forts et indépendants, sous l'autorité nominale du Saint Empire. Le commerce reprend, la culture fleurit. Les XIIe et XIIIe siècles voient l'âge d'or des troubadours, le provençal devient la langue littéraire la plus importante de l'Europe occidentale.

En 1112, les comtes de Barcelone, à la faveur d'un mariage opportun, prennent le titre de comtes de Provence. Raimond Bérenger V réorganise le comté de Provence et l'unifie. En l'an de grâce 1246, sa fille Béatrice épouse Charles d'Anjou, frère de Saint Louis qui devient Charles Ier de Provence: ce personnage ambitieux accordera à ses nouveaux sujets des libertés accrues.

La Garde-Freinet qui fut un jour, voici bien longtemps, le nid d'aigle des Sarrasins.

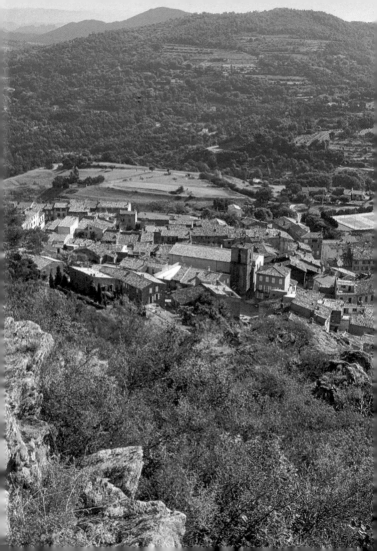

Papes et antipapes

Avignon connaît son heure de gloire au XIVe siècle comme siège de la papauté. Bertrand de Got, évêque de Bordeaux, devient pape sous le nom de Clément V en 1305. Jugeant prudent de demeurer loin de Rome et des troubles où se débat l'Italie, il fait d'Avignon sa résidence officielle en 1309. Il en résulte que la ville devient vite un grand foyer culturel qui attire nombre d'artistes et de lettrés comme Pétrarque. Avignon demeurera capitale religieuse jusqu'au retour de Grégoire XI à Rome, en 1377. A sa mort, toutefois, le Grand Schisme opposera Français et Italiens. Il y aura deux papes, parfois trois (dont l'un à Avignon), chacun d'eux entouré d'un collège de cardinaux. La situation se prolongera jusqu'en 1417 où le Concile de Constance décidera de la suppression des antipapes.

Langue d'oc

Issu du latin, le provençal a commencé à se former au IVe siècle. Répandu dans tout le Midi au XIe, il est véhiculé de Nice à l'Aquitaine par les troubadours. Leur poésie influencera toute la littérature occidentale.

Le provençal est aussi connu sous le nom d'occitan, c'est-à-dire «langue d'oc» (*oc* signifie «oui», comme *oïl* dans les parlers septentrionaux). L'occitan commence, au début du XVe siècle à se morceler en divers dialectes. Quand, en 1539, François Ier décrète que le français (langue d'oïl) sera désormais la langue de l'administration, il porte à l'occitan le coup fatal. On note toutefois une certaine renaissance du provençal depuis la fondation, en 1854, du Félibrige, école littéraire où se sont illustrés Roumanille et surtout Mistral, prix Nobel de littérature 1904.

Sur la Côte, on peut encore entendre, sinon comprendre, le patois niçois ou monégasque. Par ailleurs, le français parlé là-bas est farci de mots occitans comme *mas*, *pescadou* ou *pitchoun*...

Provence rime avec France

La majeure partie de la Provence, avec Aix et Marseille, après avoir changé plusieurs fois de mains, passe sous l'autorité angevine. Le dernier des ducs d'Anjou, le «bon roi René», ami des arts et grand patriote (il soutient Charles VII contre les «Anglois»), lègue ses domaines à son neveu. Ce dernier, avant de mourir dix-sept mois plus tard, désigne son successeur: Louis XI. En 1481, la Provence entre ainsi dans le giron de la France. Nice, entre-temps, suit sa propre destinée. En 1388, elle s'allie avec les ducs de Savoie. Elle restera savoyarde, à quelques interruptions près, jusqu'en 1860.

L'aube du XVIe siècle est marquée par la rivalité entre François Ier et Charles Quint. Après sa victoire sur le duc de Milan à Marignan, le roi de France, vaincu à Pavie en 1525, est fait prisonnier et chassé d'Italie. Charles Quint envahit alors la Provence. En 1536, il investit Aix et se fait couronner roi d'Arles. Mais, arrêté devant Marseille et Arles, il se voit contraint à une désastreuse retraite.

En 1538, le pape Paul III, jouant les entremetteurs, parvient à convaincre les deux parties de signer le Traité de Nice: tout au plus s'agira-t-il d'un armistice précaire.

En 1543 en effet, François Ier, avec le soutien de la flotte ottomane, bombarde Nice, alliée à Charles Quint par la Maison de Savoie. Mais la ville, qui repousse vaillamment les intrus, retourne à la Savoie.

De guerres en révolutions

Les luttes entre catholiques et protestants seront particulièrement âpres dans le Midi où la Saint-Barthélemy sera dure-ment ressentie. Des combats sporadiques éclatent quand les tenants de la Réforme prennent provisoirement La Seyne, Gréolières et Digne. Mais Henri IV, par la signature de l'Edit de Nantes (1598), sauve la situation en garantissant à ses anciens coreligionnaires la liberté de croyance. (On sait que l'Edit sera révoqué en 1685.)

Au XVIIe siècle, le tout-puissant cardinal de Richelieu, inquiet des visées espagnoles, fait renforcer les défenses de la côte méditerranéenne. Toulon et Marseille deviennent alors de grands ports. Diverses mesures centralisatrices, accompagnées d'impôts nouveaux, donnent naissance à une grande agitation et même à une rébellion ouverte à Marseille. En 1660, cependant, Louis XIV contraint cette ville turbulente à se soumettre.

Au cours des XVIIe et XVIIIe siècles, la Provence est le théâtre et l'enjeu de multiples conflits et guerres intestines. La France prend Nice plusieurs fois, la reperd, mais réussit à grignoter les possessions des ducs de Savoie. En 1720, un terrible fléau ravage la région: la Grande Peste, qui fera 100 000 victimes.

La controverse sur les Etats généraux de Provence, au dé- **15** but de 1789, soulèvera une vive émotion. Bientôt, alors que le pays est secoué par la fièvre révolutionnaire, des émeutes, parfois accompagnées de massacres, éclatent à Hyères, Marseille, Toulon et au Luc. En 1790, la Provence est découpée en trois départements: Bouches-du-Rhône, Var et Basses-Alpes. En 1792, les fédérés marseillais «montent» à Paris. Lors de l'insurrection du 10 août, ils entonnent un certain «Chant pour l'armée du Rhin», bientôt appelé en leur honneur «la Marseillaise».

Napoléon tel que le représenta son peintre officiel, le baron Gros.

Napoléon dans le Midi

En 1793, Bonaparte s'illustre en personne au siège de Toulon en reprenant la ville aux Anglais. Promu général, c'est de Nice (annexée par la France de 1793 à 1814) qu'il lance, en 1796, la campagne d'Italie. Deux ans plus tard, c'est de Toulon qu'en émule d'Alexandre, il s'embarque pour l'expédition d'Egypte. A son retour, en 1799, c'est à Saint-Raphaël (où l'on peut voir une petite pyramide commémorative de ses victoires) qu'il débarque triomphalement.

Mais l'Empire sera impopulaire dans une Provence restée largement royaliste. En outre, le Blocus continental, désastreux pour le négoce marseillais, aggravera les ressentiments de la population.

Napoléon, à l'heure de la déchéance, en 1814, repassera par Saint-Raphaël. L'empereur sera escorté sur le chemin de l'exil, par des troupes russes et autrichiennes. Un an plus tard, échappé de l'île d'Elbe, il débarque à Golfe-Juan, en prélude au «vol de l'Aigle» jusqu'à Paris, par Cannes, Grasse, Digne, Gap, Laffrey... l'actuelle route Napoléon.

La Révolution de 1848 prendra la forme, dans tout le Midi, de soulèvements, les paysans réclamant des terres. Ils se rebelleront à nouveau en 1851, mais leur révolte sera finalement matée par la troupe.

En 1860, la Maison de Savoie abandonne le comté de Nice (et la Savoie) à la France, en reconnaissance de l'aide que Napoléon III lui a apportée pour chasser les Autrichiens du nord de l'Italie. Lors du plébiscite, les Niçois expriment massivement leur désir de rattachement à la France. Monaco demeurera indépendante, avec un statut de monarchie héréditaire, désormais intimement liée à la France (voir p. 41). En 1861, la principauté cède ses droits sur Menton et Roquebrune qui ont également voté pour le rattachement.

Le XXe siècle

Le Midi souffrira peu de la Première Guerre mondiale. La région, toutefois, sera directement affectée par la Seconde Guerre. A la suite des combats entre Français et Italiens en 1940, Menton et plus tard toute la côte sont occupés par les Italiens, remplacés en 1942–43 par les Allemands. Le 27 novembre 1942, la flotte française se saborde à Toulon pour bloquer le port et éviter de tomber aux mains de l'envahisseur.

Alors que les Alliés, venant d'Afrique du Nord, s'appro- **17** chent, les Allemands édifient des blockhaus, tendent des barbelés sur les plages. Ils truffent Saint-Tropez de mines et placent des obstacles sur sa plage. Mais le 15 août 1944, le débarquement tant attendu commence, conduit par la VIIᵉ armée du général Patch: les Américains font irruption sur la plage de Saint-Raphaël et font sauter les blockhaus. Le lendemain, de Lattre de Tassigny débarque à son tour avec ses troupes à Saint-Tropez. Dans les quinze jours, toute la Provence est libérée!

Les cicatrices de la guerre s'effaceront rapidement. Chacun reprend courage... avec l'apparition du bikini! L'activité économique repart telle une fusée et, avec elle, l'immobilier et le tourisme.

A Cannes, les vieux habitués se retrouvent sur la Croisette.

Les caprices de la mode

Les Anglais ont été les premiers à fréquenter la Riviera. Vers la fin du XVIIIe, la région est considérée comme l'éden pour les poitrinaires et autres personnes fragiles soucieuses de fuir l'hiver anglais. Mais, fort curieusement, l'été, jugé insupportablement chaud, n'attire alors personne!

Les Anglais hantent Nice et spécialement Cimiez. Cannes sera «découvert» en 1834 par lord Brougham. Les Français finiront par rejoindre les ama-

teurs de soleil quand des écrivains comme George Sand, Dumas père, Mérimée et Maupassant auront appris à goûter les plaisirs de la Riviera. Un exemple que suivront les grands noms des arts, des lettres, de la musique, de l'aristocratie, des affaires. En pleine saison d'hiver, les nuits ne seront qu'une succession de bals masqués et autres fêtes brillantes où se côtoient princes du sang, riches héritières et demi-mondaines.

Les impressionnistes viendront également en pèlerinage sur la Riviera. Renoir et Cézanne en affectionneront les couleurs et la lumière, de même que, après eux, Bonnard, Matisse, Léger et Picasso pour ne citer qu'eux.

Vers la fin du siècle dernier, la Côte d'Azur – l'expression sera forgée par le poète Liégeard en 1887 – devient le terrain de jeu de la haute société internationale. La Grande Guerre marque un tournant. La Riviera, où affluent les Américains, millionnaires et vedettes de cinéma, est désormais fréquentée été comme hiver.

Même si, depuis la Belle Epoque et les «années folles», l'atmosphère a bien changé, la Riviera, grâce au prestige de ses charmes et à son soleil généreux, attire plus que jamais les foules.

Que voir

Nice
360 000 habitants

Nice semble une riche douairière aux origines modestes, qui aurait conservé un tout petit côté populaire. Capitale officieuse de la Riviera et chef-lieu des Alpes-Maritimes, c'est une grande ville trépidante qui possède le troisième aéroport de France, un opéra, un excellent orchestre, une université et plusieurs beaux musées. Ses boutiques, ses palaces, ses restaurants rivalisent avec les meilleurs du monde. Par ailleurs, ses vieux quartiers évoquent l'Italie voisine.

C'est au IVe siècle av. J.-C. que des Grecs – en l'occurrence les Phocéens de Marseille – s'établissent ici. Le nom de Nice vient de *niké*, en grec «la victoire». Deux siècles plus tard, les Romains édifient une ville sur la colline de Cimiez.

Nice est détachée du reste de la Provence en 1388, date de son annexion par la Maison de Savoie. Au siècle suivant, un château fort, au pied duquel se développera l'actuelle Vieille-Ville, est édifié.

En 1631, la population est presque totalement anéantie par la peste. Mais Nice survivra. Bonaparte en fait sa base durant la campagne d'Italie. Enfin, le comté de Nice est officiellement rattaché à la France en 1860.

Bien que Nice ait été connue comme station climatique d'hiver dès la fin du XVIIIe, sa carrière ne commencera réellement qu'au siècle dernier, avec l'arrivée des Anglais et de leur fameuse reine, Victoria, d'une part... et celle du chemin de fer, en 1855, d'autre part. La voie au tourisme est ouverte.

La promenade des Anglais

La visite de Nice commence obligatoirement par une flânerie sur cette splendide avenue ourlée de palmiers. Sur quelque cinq kilomètres, l'ensemble promenade des Anglais-quai des Etats-Unis longe la baie des Anges.

Ce nom de promenade des Anglais tient au fait qu'en 1822 le révérend Lewis Way, un philanthrope, incita la colonie britannique à financer l'élargissement du mauvais sentier d'alors.

Partant de l'angle du boulevard Gambetta, vers l'est, vous dépasserez des points de repère comme le légendaire «Negresco», avec sa façade rococo et ses tourelles pittoresques, gardé par des portiers en tenue d'opérette.

Poursuivez vers l'est. Le **jardin Albert-Ier** s'ouvre sur la gauche. Vous y verrez la fontaine des Tritons (XVIIIe) et un théâtre de verdure moderne. Au-delà de ce jardin aux arbres somptueux, vous gagnez les rues marchandes.

Le côté nord du jardin donne sur la place Masséna, pittoresque endroit bordé d'édifices décorés de stucs rougeâtres. L'ensemble, agrémenté d'arcades, date de 1835.

La Vieille-Ville

Vous gagnerez les vieux quartiers depuis le bord de mer (quai des Etats-Unis) ou depuis la place Masséna. Venant de cette dernière, vous passerez devant l'**Opéra,** et sa belle façade du siècle dernier. Sur le **cours Saleya** (dont le nom rappelle que, jadis, on vendait ici le sel en gros), vous ne pourrez manquer, l'après-midi, le marché aux fleurs, haut en couleur, où se mêlent les senteurs de roses, de dahlias et de géraniums. Un marché aux fruits et aux légumes, aussi pittoresque mais plus odorant, s'y tient le matin.

Sur le quai, les maisonnettes pastel, occupées autrefois par des pêcheurs, abritent aujourd'hui, pour la plupart, restaurants et galeries d'art. Ce sont les *ponchettes,* vieux mot provençal qui désigne de petits rochers. En face, s'élève la **chapelle de la Miséricorde.** Elle conserve un séduisant retable de Miralhet, *La Vierge de Miséricorde.*

Si vous prenez à gauche au bout du cours Saleya, vous vous plongerez dans le vieux Nice, avec ses odeurs appétissantes, ses minuscules échoppes dont les étalages envahissent les ruelles.

La **rue Droite,** qui était la grand-rue au Moyen Age, n'est en fait qu'une venelle. Vous dépasserez l'église Saint-Jacques (sur la droite), édifiée en style baroque surchargé, sur le modèle du Gesù à Rome. Un petit crochet vous permettra d'atteindre, par la rue Rossetti, la cathédrale Sainte-Réparate (1650), que domine un élégant clocher du XVIIIe siècle.

Regagnez la rue Droite pour visiter, au N° 15, le **palais Lascaris,** symbole du vieux Nice. Cet hôtel de ville du XVIIe appartint jusqu'à la Révolution aux Lascaris, une famille de Vintimille. (Ici commencent les visites guidées du Nice histo-

---

Pour les amateurs, un plateau de coquillages drôlement bien présenté.

rique.) Petit pour un palais, l'édifice possède de splendides escaliers de marbre sculpté et des plafonds peints à fresque. Au rez-de-chaussée, vous verrez une boutique d'apothicaire, magnifiquement conservée. Datant de 1738, elle abrite une belle collection de pots.

Vous atteindrez en quelques pas la place Saint-François où s'élève l'ancien hôtel de ville, de style gothique tardif. La place accueille, le matin, un marché aux poissons animé.

La place Garibaldi, à la limite du vieux Nice, est ornée d'un beau *stabile* de Calder. Au nord, sur l'Esplanade Kennedy, s'inscrit l'Acropolis, salle de spectacles et de conférences.

Le Château et le port

Même s'il ne subsiste rien de l'ancien château fort, puisqu'il fut détruit en 1706, une promenade au rocher du Château (en bref, le Château), une éminence haute de 92 m., n'en est pas moins agréable. Les courageux graviront les marches (un quart d'heure environ), les autres prendront l'ascenseur installé à l'extrémité du quai des Etats-Unis. Un parc public, planté de pins et de cactus, occupe toute la colline. Du sommet, vue grandiose sur le port d'un côté et la baie des Anges

Deux enfants de Nice
ANDRÉ MASSÉNA (1756–1817) attendra longtemps la gloire. Issu d'une famille de négociants en vins, il est marin avant d'entrer dans l'armée. Quand il démissionne, après quatorze années de service, il n'est même pas sous-lieutenant. Mais il rengage sous la Révolution et, cette fois, va affirmer sa valeur. Napoléon, qui l'appellera «l'enfant chéri de la victoire», le fera maréchal de France (1804), duc de Rivoli (1808) et prince d'Essling (1810). Et Wellington le considérera même comme son plus redoutable adversaire... après Napoléon! Le petit-fils de Masséna, Victor, construira la belle demeure qui abrite aujourd'hui le Musée d'histoire de Nice (voir p. 78).

GIUSEPPE GARIBALDI (1807–1882), un des pères de l'Unité italienne, est également originaire de Nice. Furieux de la cession de sa ville natale à la France en 1860, il combattra néanmoins les Allemands au côté des Français en 1870. Une statue de Garibaldi orne la place qui porte son nom.

de l'autre. Les pierres blanches que vous remarquerez sont les derniers vestiges de constructions religieuses romanes. Les personnes intéressées visiteront le Musée naval, dans la tour

Bellenda (maquettes de bateaux, armes anciennes).

Le port, rempli de navires marchands et d'embarcations de plaisance, est toujours animé. Il s'entoure de cafés et de restaurants variés.

Le boulevard Carnot, qui part du coin nord-est du port, mène à un musée extraordinaire, la **Terra Amata** (au N° 25). Presque dissimulé par de grands immeubles résidentiels, ce musée récemment ouvert abrite une vaste collection de vestiges préhistoriques, exhumés lors des travaux de terrassement alentour. Une visite qui meublera agréablement un après-midi de pluie!

Dans la zone piétonnière de Nice, les achats ne sont pas l'unique préoccupation des chalands.

Cimiez

Cette zone de collines résidentielle, où se plurent les Romains – et la haute société du siècle dernier – est ponctuée de palaces de style surchargé, évoquant des décors de théâtre d'un autre âge.

Le boulevard qui monte à Cimiez (vous pouvez prendre le bus place Masséna) passe près de l'important **Musée Chagall** (voir p. 79).

A Cimiez même, la villa des Arènes renferme deux musées

Les festivités du Carnaval de Nice s'étendent sur deux semaines, en février. Elles revêtent par leur splendeur un caractère proprement unique. C'est en 1873 que le Carnaval, héritier de corsos nés au XIIIe siècle, atteint son ampleur actuelle, avec le sacre de Sa Majesté Carnaval Ier.

Aujourd'hui, la foule, attirée par les défilés de chars, débauche de formes et de couleurs, envahit les rues, en particulier la place Masséna. Le papier mâché utilisé dans la confection de ces chars absorbe une tonne de papier, plus 350 kilos de farine. Les cortèges et les bals masqués alternent avec les batailles de fleurs et de confetti. Le Mardi gras marque l'apothéose des festivités: Carnaval est brûlé en effigie alors qu'éclate un formidable feu d'artifice, couronné par une canonnade tirée du Château.

qui semblent un peu à l'abandon. Vous traverserez rapidement le Musée archéologique, sauf si vous êtes un mordu, pour vous attarder à loisir au **Musée Matisse.** Vous y admirerez une collection d'œuvres du maître, depuis des dessins jusqu'à des collages monumentaux, en passant par divers souvenirs: sa palette et un siège étrange en forme de coquille, qui proviennent de son atelier.

Moyennant une modeste obole, vous pourrez flâner au milieu des ruines romaines, derrière la villa. Ces ruines, des IIe et IIIe siècles, semblent un champ de blocs qu'animent, seules, les visites guidées. Les murailles, hautes de 10 m., correspondent au *frigidarium* (bains froids) des thermes romains.

La (proche) église des Franciscains a été largement remaniée au siècle passé, dans un style néo-gothique assez lourd. Elle renferme trois remarquables peintures sur bois, dues à des artistes niçois des XVe–XVIe siècles, les frères Brea.

Excursions autour de Nice

Nice constitue un excellent point de départ, tant pour de courtes excursions le long du

De la blanchaille fraîche après la visite des thermes de Cimiez.

littoral que pour des «virées» exceptionnelles dans l'arrière-pays.

Si vous aimez la montagne, consacrez une journée à faire l'excursion de Beuil-Valberg. Vous découvrirez les **gorges du Cians** à cette occasion. Dévalant de 1600 m. jusqu'au Var, le Cians a entaillé un défilé impressionnant dans des calcaires gris et des schistes rouges. Vous vous arrêterez à BEUIL, un vieux village pittoresque; à VALBERG, une moderne station de sports d'hiver (1669 m.); et à ENTREVAUX, une vieille cité fortifiée par Vauban. L'église gothique conserve un retable du XVIIe siècle.

Une autre excursion spectaculaire vous fera connaître la verdoyante **vallée de la Vésubie.** Allez visiter SAINT-MARTIN-VÉSUBIE, allongé sur un éperon entre deux torrents qui confluent pour former la Vésubie. Le parc national du Mercantour, tout proche, recèle la superbe **vallée des Merveilles** (que l'on visite de juillet à octobre), qui possède des pierres gravées préhistoriques.

La route sinueuse qui grimpe à la **Madone d'Utelle,** à 1174 m., dessert UTELLE, dont l'intéressante église date du XVIIIe siècle. La Madone est un sanctuaire fondé en 850 et relevé en 1806.

Les Corniches

Entre Nice et Menton, les Préalpes, qui plongent dans la mer, offrent des paysages renouvelés, d'une indicible grandeur.

La **Grande Corniche,** construite par Napoléon sur le tracé de l'ancienne voie Aurélienne, ménage les vues les plus grandioses. La **Moyenne Corniche,** elle, offre le contraste des falaises et de la mer. Enfin, la **Corniche inférieure** ou Corniche du Littoral épouse les contours du rivage; si souvent, en été, la circulation est terriblement dense, cette dernière route relie des localités qui méritent une visite.

Villefranche, à 6 km. à l'est de Nice, possède une des rades les plus sûres de la Méditerranée.

Accrochée à un escarpement en contrebas de la route, Villefranche présente une séduction sans détour, avec ses maisons multicolores entassées sur la pente, ses ruelles plongeantes, ses venelles en escaliers et sa **rue Obscure,** couverte, qui descend vers la mer en serpentant.

Sur la droite, en dessous de la vieille citadelle (édifiée en

28

Pêche à Villefranche: un coup d'rouge pour s'armer de patience...

1560 par le duc de Savoie), s'élève la chapelle Saint-Pierre (XIVᵉ siècle), également appelée **chapelle de Cocteau** depuis que le génial «touche-à-tout» la décora en 1956. Ce petit édifice voûté est entièrement couvert de dessins pastel au trait vigoureux.

Une brève promenade en auto dans les pinèdes qui drapent la presqu'île du **cap Ferrat** vous convaincra que les riches tiennent vraiment à leur vie privée! Ce ne sont, presque partout, que portails gardant des propriétés dont on pressent seulement l'opulence.

On jouit de vues plus dégagées depuis l'étage supérieur de la **Fondation Ephrussi de Rothschild,** ou Musée Ile-de-France. Edifiée de 1905 à 1912 par Béatrice Ephrussi, née Rothschild, cette villa rose de style italianisant abrite les extravagantes collections réunies par un amateur insatiable. Vous y verrez un paravent de Coromandel, de belles chinoiseries, des spécimens de mobilier Renaissance et Louis XIII, ainsi que quelques toiles impressionnistes. Cela dit, l'intérêt majeur du musée réside plutôt dans ses porcelaines françaises du XVIIIᵉ siècle. Composée de milliers de pièces rares et de services complets (et signés), cette collection est peut-être la plus importante du monde. Le musée est ouvert l'après-midi seulement; fermé le lundi et en novembre.

Les jardins qui ceignent la villa ne sont pas moins extraordinaires.

Non loin, le modeste zoo du cap Ferrat offre un contraste insolite. Ses spectacles de singes savants (école de chimpanzés) sont particulièrement appréciés des enfants.

Saint-Jean-Cap-Ferrat est le port de la presqu'île, avec une promenade récemment aménagée en bord de mer et un vieux village de pêcheurs. C'est Cocteau qui a décoré la salle des mariages de la petite mairie.

La petite station balnéaire de Beaulieu offre comme principale curiosité la villa Kérylos, monument élevé vers 1900 à la gloire de la Grèce antique par l'érudit musicien et collectionneur Théodore Reinach.

Celui-ci mûrit longuement son projet, réunissant entre-temps d'innombrables objets. Puis il chargea l'architecte italien Pontremoli de lui construire une demeure grecque qui fût parfaite jusque dans les moindres détails. Toute de marbre et de bois fruitier, la villa comporte un agréable patio à colonnade en marbre de Carrare, et un «cabinet de travail» aux proportions majestueuses, avec des sols en mosaïque.

La Grande Corniche file vers Menton, par Roquebrune et le Vistaëro. Vous pourrez, selon votre inspiration, vous arrêter à La Turbie ou sillonner l'arrière-pays pour visiter des villages comme PEILLE et PEILLON.

Devant la Fondation Ephrussi de Rothschild... un jardin enchanteur.

Par temps clair, le **belvédère d'Eze** (505 m.) offre un panorama étendu: à gauche, la Tête de Chien, qui domine Monte-Carlo; en contrebas, le vieux village perché d'Eze; à droite, le regard porte jusqu'au cap d'Antibes et à l'Esterel.

Le **trophée des Alpes,** colonnade dorique circulaire dont les vestiges veillent sur Monaco, constitue la grande attraction de LA TURBIE. Il fut élevé en l'an 6 de notre ère par Auguste, désireux de célébrer sa victoire sur les peuples qui s'étaient opposés à la construction d'une voie unissant Rome à la Gaule.

A proximité immédiate de la Moyenne Corniche (la meilleure des trois routes), voici **Eze-Village,** le «clou» de l'itinéraire. La bourgade s'accroche au-dessus de la mer majestueuse. L'une des vues les plus prodigieuses de toute la côte!

Si la cité médiévale est fermée à la circulation, elle ne l'est pas aux touristes qui l'envahissent en toute saison. Vous verrez, sur l'emplacement d'un château rasé en 1706 par ordre de Louis XIV, un jardin public débordant de fleurs exotiques et de cactus. Et vous flânerez dans les ruelles pavées où se pressent les boutiques de souvenirs.

La Moyenne Corniche se poursuit, contournant Monaco (voir p. 37). A CABBÉ, vous admirerez le fantastique panorama, avant de prendre vers Roquebrune et Menton.

Roquebrune aurait pu, aussi bien, s'appeler «Roquerose». En effet, lorsque le soleil baigne la bourgade, c'est une

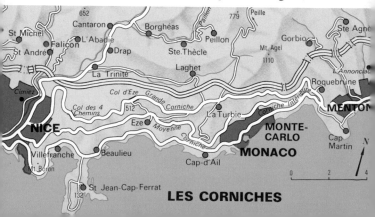

LES CORNICHES

symphonie de roses, grâce à la réverbération des façades enduites de stuc ocre-rose, au fil des rues étroites.

Il est possible de visiter le donjon du château fort édifié, au Xe siècle, par un comte de Vintimille soucieux de repousser les attaques sarrasines.

Ecart de la commune de Roquebrune, le promontoire de CAP-MARTIN, agrémenté de pins et d'oliviers, constitue un havre pour millionnaires.

Menton, la station la plus chaude de la Côte, est la villégiature préférée des retraités qui en apprécient l'atmosphère chaleureuse, la simplicité... et les deux casinos (dont le plus important est un chef-d'œuvre de rococo).

Le citronnier prospère en ces lieux bénis. Une fête du citron se déroule d'ailleurs en février. Les quelque quinze tonnes de fruits utilisées pour la décoration sont ultérieurement remises aux hôpitaux ou transformées en confiture. Aussi n'est-il guère étonnant que les Mentonnais se plaisent à raconter, à leur manière, l'histoire d'Adam et Eve. Quand ceux-ci furent chassés du Paradis, Eve em-

Balade au cœur du Moyen Age, le long d'une ruelle à Roquebrune.

porta un citron. Ayant trouvé cet endroit aussi accueillant que l'Eden, elle y planta le «fruit immortel». Les citronniers envahirent bientôt les pentes au pied desquelles, un beau jour, devait naître Menton. Mais la ville est également fière de ses olives et de ses clémentines!

Une longue plage de galets et la promenade George-V

A Menton, chacun sa technique pour une pêche fructueuse.

conduisent à un bastion du XVIe siècle qui abrite aujourd'hui un **Musée Cocteau.** Au-delà, vous atteindrez un môle pourvu d'un phare, et le port moderne de Garavan. De là, vous verrez la vieille ville surgir littéralement de la mer.

Après une halte sur la **place aux Herbes,** bordée d'arcades et ombragée par trois énormes platanes, vous monterez vers le cœur de la **vieille ville,** franchement italienne par l'atmosphère. L'**église Saint-Michel** (XVIIe siècle) veille sur une place charmante d'où l'on peut entrevoir l'Italie.

La salle des mariages de l'Hôtel de Ville a été ornée par

Cocteau de fresques allégoriques pleines de vigueur et de fantaisie. Le Musée municipal présente, outre un curieux aperçu sur le folklore local, des œuvres modernes et... des ossements.

Deux jardins publics, à Menton, méritent une visite. Le **Jardin botanique,** aménagé autour de la villa «Val Rahmeh», apporte la preuve que toutes les plantes prospèrent ici, depuis les roses jusqu'aux

Près de Sainte-Agnès, il faut bien regarder où l'on pose le pied...

yuccas du Mexique, aux fuch-sias et aux bambous du Japon. Le **jardin des Colombières** est encore plus étonnant. La villa d'inspiration hellénique qu'é-leva l'écrivain et peintre Ferdinand Bac s'entoure d'une végétation d'une luxuriance toute méditerranéenne. Et quel coup d'œil splendide! Les jardins alentour forment un havre romantique avec leurs allées fleuries, agrémentées de cyprès, de pièces d'eau, de fontaines et de statues.

Les amateurs de randonnées s'aventureront dans les collines mentonnaises, semées d'oliviers noueux, de pins et de chênes rabougris, avant d'atteindre d'épaisses garrigues.

Parmi les sites pittoresques qu'il est facile de gagner rapidement en voiture, citons: L'ANNONCIADE, un monastère de capucins (beau panorama); SAINTE-AGNÈS, qui se targue d'être le village perché le plus élevé du coin; et les charmantes bourgades médiévales de GORBIO et de CASTELLAR.

Vous mourez d'envie de déguster un vrai plat de spaghetti? Passez la frontière italienne pour atteindre **Vintimille** (Ventimiglia). Vous ne sauriez d'ailleurs vous dispenser de voir sa cathédrale romane, son baptistère du XIe, et de parcourir la vieille ville.

Monaco
30 000 habitants

Cette principauté digne d'un conte de fées, enclave née sur des rochers surgis de la mer, est célèbre par son casino et ses richesses. Elle doit une bonne part de sa réussite actuelle au dynamisme du prince Rainier et au charme que la princesse Grace a laissé derrière elle.

Ici, l'ambiance tient de la grande ville et de l'opérette.

Ne croyez pas que le jeu constitue l'unique attraction de la principauté: le Casino ne fournit que 5% des revenus locaux. D'autres activités – industrielles, commerciales, voire culturelles – passent avant! Monaco est tout d'abord une capitale de la musique, avec l'un des meilleurs orchestres européens, un opéra et un festival de musique. Son automobile-club organise, ensuite, le Rallye et le Grand-Prix de Monte-Carlo. Ajoutez à cela des galas et des bals brillants, une exposition canine, une exposition florale, un festival international de télévision. Monaco tire également vanité de son équipe de football. Par ailleurs, Radio Monte-Carlo «inonde» une partie de l'Europe. Dernière activité, mais non la moindre, la philatélie. Les belles séries éditées par **37**

Monaco sont toujours très appréciées des amateurs.

Le nom même de Monaco désigne, outre la principauté, son cœur historique, avec le Rocher où s'élève le palais princier. Monte-Carlo, à l'est, correspond aux quartiers du siècle dernier (Casino). La Condamine, quartier commerçant, occupe le vallon qui sépare Monte-Carlo du Rocher, et s'étend jusqu'au port. Fontvielle, à l'ouest, est un secteur industriel, gagné en partie sur la mer.

Monte-Carlo

Tous les chemins mènent au **Casino** (qui abrite aussi l'Opéra), précédé par des jardins soigneusement entretenus. On ne s'étonnera plus de l'air de famille entre cet édifice et l'Opéra de Paris quand on saura que tous deux sont l'œuvre du célèbre Garnier.

On accède à l'Opéra par un foyer décoré de fresques et d'opulentes cariatides dans le style du siècle dernier. Les salles de jeux s'ouvrent sur la gauche. Vous constaterez, si du moins vous pouvez détacher les yeux de la roulette, que la décoration, fleurie, de ces salles est ravissante.

Voisin du Casino, l'**Hôtel de Paris** est un monument historique aussi somptueux. Dans le hall, le cheval de bronze monté par Louis XIV a été si souvent caressé par des joueurs soucieux d'amadouer dame Fortune que son fanon brille comme de l'or. C'est au restaurant que le grand Escoffier «mitonnait» de nouveaux plats à l'intention de ses clients célèbres.

Traversant la place, vous gagnerez le Café de Paris, lieu de rendez-vous animé qui résonne du tintement frénétique des machines à sous obligeamment installées à l'intention des mordus du jeu.

Le proche **Musée national**, appelé aussi Musée Galéa, abrite une superbe collection de 2000 poupées, réunies par Madeleine de Galéa. L'édifice (une villa dessinée par Garnier), rose comme il sied à une maison de poupées, se niche dans des jardins agrémentés de statues dues à Rodin, à Maillol et à Bourdelle. Vous y verrez, outre les fameuses poupées du XVIIIe à nos jours, exquisément habillées, des tableaux et une collection d'automates qui s'animent lorsque le gardien en remonte le mécanisme. Il y a là des réalisations prodigieuses:

L'orgueil de Monte-Carlo: un casino-opéra dû à Garnier.

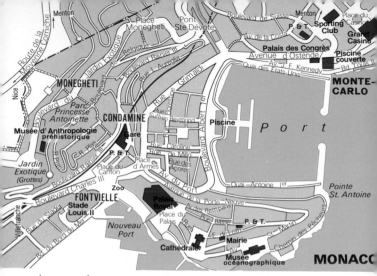

joueurs de cartes, acrobates, danseurs et un charmeur de serpent, un peu spectral mais impressionnant, qui font la joie des enfants.

Le Rocher de Monaco

Une courte montée depuis le centre ville permet d'atteindre le **palais du Prince** (nous vous recommandons de prendre le bus ou un taxi, car le stationnement est strictement limité).

Les Grimaldi vivent toujours au palais, mais celui-ci n'en est pas moins ouvert au public du mois de juin à la mi-octobre. La visite comporte un coup d'œil à la magnifique cour d'honneur (XVIe siècle),

avec son double escalier de marbre et sa galerie décorée de fresques **(galerie d'Hercule)**. Vous parcourrez aussi plusieurs salles qui renferment des antiquités d'une valeur inestimable, une galerie des glaces, des peintures de Van Loo, Bruegel et Titien, et les portraits de la famille princière.

Tous les jours, à 11 h. 55, vous assisterez à la relève de la garde à l'entrée du palais. Cette cérémonie, qui vous divertira cinq bonnes minutes, se déroule avec la pompe requise, au son des fifres et des tambours.

La **vieille ville** est située, elle aussi, sur le Rocher. Une at-

Autour des Grimaldi...

L'histoire de Monaco, longtemps faite d'intrigues et de meurtres, est étonnante. C'est en effet par des chemins tortueux que la principauté est devenue cette monarchie héréditaire que gouverne aujourd'hui le prince Rainier III en personne.

Le Rocher fut habité dès la préhistoire. Bien plus tard, en 1215, les Génois y élevèrent une forteresse que les Guelfes et les Gibelins devaient se disputer jusqu'en 1297, année où les Guelfes, sous la bannière de François Grimaldi, finirent par l'emporter.

Divers traités avec ses puissants voisins assurèrent au fil des siècles l'indépendance de Monaco (exception faite d'un «intermède» français de 1793 à 1814). Roquebrune et Menton se détachèrent de la principauté en 1848 et furent ultérieurement rattachés à la France. En 1861, Charles III, en quête de nouvelles sources de revenus, fonda la Société des Bains de Mer, chargée d'exploiter une société de jeux. L'entreprise démarra lentement. Pourtant, quand François Blanc, un financier et administrateur de génie (au passé plutôt louche) prit les choses en main, les affaires ne tardèrent pas à prospérer. C'est sur son conseil que Charles III ordonna la construction d'un édifice destiné à abriter le casino et l'opéra.

Des hôtels sortirent de terre, et le rail relia bientôt Monaco aux autres villes de la côte. Une route, nouvelle mais dangereuse, allait également faciliter la venue des joueurs et des amateurs de distractions.

Malgré une situation embrouillée sur le plan légal, la principauté a sauvegardé son statut d'indépendance (et ses citoyens sont toujours exemptés d'impôts). Elle a ouvert ses frontières avec la France et applique la liberté des changes. La France se charge également des postes et télécommunications.

mosphère de gaieté, qu'animent les chaudes inflexions du patois monégasque, baigne ses rues piétonnes où se pressent boutiques de souvenirs, restaurants et autres «attractions» touristiques.

Vous emprunterez la rue Basse où vous attend l'**Historial des Princes de Monaco,** un curieux musée de cire constitué en 1971 par un Français, grand ami de Monaco. Cette galerie de personnages aux costumes magnifiques compose un agréable «panorama» historique, depuis le premier des Grimaldi, François, jusqu'à la plus jeune, la princesse Stéphanie.

La cathédrale, du XIXᵉ siècle, est un «monstre» néo-roman. Elle possède un remarquable triptyque de Louis Brea. Derrière le maître-autel se trouve la sépulture de la princesse Grace.

Le **Musée océanographique,** formidable édifice aux colonnes grises, a été fondé en 1910 par le prince Albert Iᵉʳ qui devait passer le plus clair de sa vie en mer. C'est le commandant Jacques-Yves Cousteau qui est à la tête de ce musée.

Accroché à un escarpement qui surplombe La Condamine, le **Jardin exotique** mérite une visite, ne serait-ce que pour la vue sur la principauté. Du

port, un ascenseur vous y mènera. Par des sentiers jalonnés de pierres, vous admirerez une fabuleuse présentation de plantes exotiques.

Le **Musée d'anthropologie préhistorique,** près de l'entrée du jardin, conserve des ossements provenant des grottes de Menton et de Monaco, et des bijoux anciens exhumés à La Condamine. Pour accéder aux grottes, il faut descendre 250 marches qui vous amèneront au cœur d'une dentelle de stalactites et de stalagmites.

Non loin, se trouvent le stade Louis II et le Jardin des Roses de la princesse Grace.

A Monaco, on n'est jamais bien loin d'une plage!

De Nice à Cannes

Voici, à tous égards, l'un des secteurs les plus intéressants de la Riviera. Les paysages en sont magnifiques, et les œuvres d'art abondent tant dans les villages de la côte que dans l'arrière-pays.

La côte d'Antibes

Fondée par les Phocéens au IVᵉ siècle av. J.-C., **Antibes** devrait son nom (*Antipolis:* la «ville d'en face») à sa situation face à Nice, de l'autre côté de la baie des Anges. L'imposant **Fort carré** fournit un premier point de repère. Cette forteresse fut élevée par les rois de France en lutte contre les ducs de Savoie.

En 1794, Bonaparte, alors qu'il organisait la défense côtière, logea sa famille à Antibes. Sa solde étant des plus modestes, sa mère devait laver elle-même son linge, et ses sœurs allaient chiper des figues et des artichauts chez les fermiers du voisinage! Les hauteurs environnantes sont aujourd'hui bordées de serres: la culture florale représente en effet la principale activité de l'endroit.

Ne manquez pas de faire, au moins en auto, le tour des remparts, relevés au XVIIᵉ siècle par Vauban sur les fortifications médiévales. Le **château Grimaldi** – aujourd'hui Musée Picasso – est un édifice de pierre blanche flanqué d'une tour romane, élevé par les seigneurs d'Antibes sur l'emplacement d'un camp romain. Il abrite, outre de nombreux vestiges antiques, une vaste collection d'œuvres de Picasso. En 1946, alors que l'artiste éprouvait quelques difficultés à trouver un endroit où travailler, le conservateur du Musée d'Antibes lui offrit le château en guise d'atelier. Et Picasso de se mettre au travail au milieu des antiquités. Inspiré par ces objets qui l'entouraient, il exécuta plus de 145 œuvres en six mois.

Voisine de ce château-musée, l'**église,** remaniée au XVIIᵉ, conserve un chevet et un transept romans, et un retable attribué à Louis Brea. Vous trouverez, au-delà de la place inondée de soleil, un dédale de vieilles rues, et le marché couvert, particulièrement pittoresque le matin, alors qu'il bat son plein.

A l'extrémité méridionale de la baie, le **cap d'Antibes,** une presqu'île tranquille, est agrémenté de pinèdes où s'égaillent de somptueuses résidences.

La **chapelle Notre-Dame,** à LA GAROUPE, présente une curieuse combinaison d'éléments

Au musée, un portrait de Picasso au milieu de ses œuvres.

variés: une nef date du XIIIe, l'autre du XVIe, chacune étant dédiée à une madone différente. Mais elles sont toutes deux tapissées d'ex-voto, de divers échantillons d'art naïf ou d'objets offerts en témoignage de gratitude. La baie de JUAN-LES-PINS étire son croissant de sable à l'ouest du cap. «Juan» connut ses (premiers)

beaux jours dans les années 1920–1930, après que le financier américain Frank Jay Gould eut construit un casino-palace au milieu des pins. Assoupie en hiver, cette station connaît une vie passablement trépidante en été. Elle doit sa chaude ambiance à ses boîtes, à ses cafés, à ses boutiques agrémentées d'étalages en pleine **45** rue… et à une foule de jeunes en mal de distractions.

Les bourgades de Vallauris et de Biot, qui vivent de l'artisanat d'art, ne sont qu'à quelques minutes d'Antibes en voiture. Qui dit **Vallauris** pense fatalement Picasso! L'artiste y travailla après la guerre, donnant une impulsion nouvelle aux arts de la céramique et de la poterie. Il devait également faire don à la localité d'une statue de bronze, *L'Homme au Mouton* (place Paul-Isnard), et décorer la chapelle romane de l'ancien château – devenue le Musée national Picasso – d'une **fresque** monumentale, *Guerre et Paix* (1952–1959).

Biot, juché sur son mamelon, est également rempli d'échoppes d'artisans. Il faut voir son église romane (restaurée), qui renferme un beau retable de Louis Brea (peint au début du XVIe), et sa pittoresque place à arcades (XIIIe siècle), ornée d'une fontaine.

La verrerie d'art a fait la renommée de Biot. Aussi, en redescendant, allez donc visiter quelques ateliers où des artisans (en short) façonnent un verre lourd et coloré où sont emprisonnées de minuscules soufflures.

Le **Musée national Fernand Léger,** qui avoisine Biot, arbore une façade de mosaïque. Cette

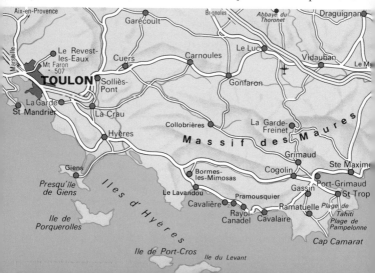

construction moderne recèle une incomparable collection d'œuvres de Léger, qui va de ses peintures à ses vastes tapisseries.

Si les enfants apprécient toujours les numéros exécutés par les dauphins, au Marineland, près de la gare de Biot, les gourmets, eux, seront captivés par le Musée de l'Art culinaire, à VILLENEUVE-LOUBET, patrie du grand Escoffier.

Promenade dans l'intérieur

Etalé sur des collines couvertes d'orangers et d'oliviers, CAGNES-SUR-MER représente non pas une, mais trois localités: le CROS-DE-CAGNES, au bord de la mer; le LOGIS, quartier moderne et commerçant; et le **Haut-de-Cagnes,** la partie la plus pittoresque avec sa vieille forteresse. Les rues pavées du «vieux bourg» montent en serpentant vers le **château.**

Vous visiterez, au rez-de-chaussée, un curieux Musée de l'Olivier: son histoire, sa culture, sa littérature. Sans nul doute, le plus beau monument jamais élevé à la gloire de cet arbre! Le premier et le second étages présentent des œuvres d'art contemporaines. La salle des fêtes conserve par ailleurs un plafond peint en trompe-l'œil au XVIIe illustrant *la Chute de Phaéton.* Une salle

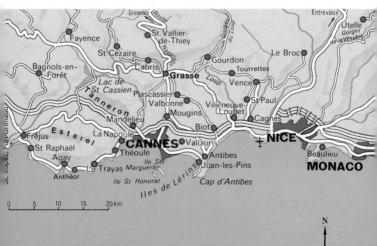

TOULON – NICE

extraordinaire rassemble quarante portraits de Suzy Solidor, l'ancienne reine du cabaret, vue par de célèbres peintres de notre temps.

Auguste Renoir passa la fin de sa vie (1907–1919) dans sa villa des «Collettes», à l'est de Cagnes. Mais il n'y a guère de choses à voir ici, hormis des souvenirs et quelques œuvres mineures.

Saint-Paul-de-Vence est un autre bastion vénérable. La bourgade, corsetée de remparts, domine des vignes en terrasses.

Vous entrerez (à pied) par la porte de Vence, gardée par un canon menaçant le visiteur. La bourgade fut élevée au XVIe par François Ier pour servir de défense contre Nice et les ducs de Savoie.

Une partie de pétanque animée se tient presque en permanence sous les beaux platanes de la place du Général-de-Gaulle. Adjacent, l'hôtel de «la Colombe d'Or» possède une importante collection d'œuvres de Matisse, Picasso et Léger; ceux-ci s'acquittaient de leurs repas pris au restaurant de la maison en offrant leurs toiles!

Douceur des paysages (cap Martin) et douceur de la vie traditionnelle (potier à Vallauris).

Vous pourrez accomplir en quelques minutes le tour des étroites rues (piétonnes) ou encore flâner à loisir, le temps d'admirer la grande fontaine et de visiter l'église gothique.

Inaugurée en 1964 par Aimé Maeght (propriétaire d'une galerie d'art parisienne) et par sa femme, la **Fondation Maeght** s'élève sur une colline verdoyante, juste en dehors de Saint-Paul. Niché dans une pinède, cet étonnant musée présente l'une des premières collections d'art moderne du monde. L'architecte ibéro-américain José Luis Sert a su marier la brique, l'acier et le verre. La collection permanente, qui réunit de nombreux artistes de notre temps, fait place en été à une exposition temporaire. Mais les superbes sculptures de Miró et de Giacometti restent exposées à longueur d'année.

Ancienne ville épiscopale, **Vence** conserve de beaux vestiges du Moyen Age. Cette charmante cité est aujourd'hui entourée de magasins et de maisons de construction récente. Les artistes et les retraités en goûtent l'atmosphère vivante, l'air embaumé des collines alentour et la tranquillité qui règne la nuit venue (hors saison, bien entendu).

Le XVIIe siècle, à Vence, fut **49**

dominé par la figure étonnante d'Antoine Godeau, un «bel esprit» qui devint en 1634 le premier membre de l'Académie française. Mais, entré dans les ordres à 30 ans, en 1635, Godeau fut nommé évêque de Vence l'année suivante. Il devait entreprendre la restauration de la cathédrale et fonder des industries pour fournir du travail à ses ouailles.

Les coins les plus pittoresques du vieux Vence? La **place du Peyra,** toute bruissante du murmure de sa fontaine, avec ses cafés sympathiques, avec sa cathédrale dont vous remarquerez l'impressionnant clocher roman; et la **place du**

A Tourrettes, les murs savent beaucoup d'histoires. A droite: marché aux fleurs de Grasse.

Frêne, ombragée par un frêne séculaire dont le tronc doit bien mesurer deux mètres de diamètre.

Les touristes se hâtent souvent de traverser Vence pour gagner plus vite la **chapelle du Rosaire-Henri Matisse,** située sur la route de Saint-Jeannet (elle n'est ouverte au public qu'à des périodes bien déterminées; référez vous-en aux indications que nous donnons à la page 79). Dédiée par Matisse aux dominicaines qui l'avaient soigné durant une longue maladie, cette chapelle couronne l'œuvre d'un artiste alors octogénaire et presque aveugle. Les fameux vitraux aux coloris hardis inondent cette sobre chapelle d'une lumière radieuse. Deux murs portent de puissantes compositions, combinaisons de lignes noires sur fond de faïence immaculée.

 Une brève incursion dans la **vallée du Loup,** très intéressante, vous prendra moins d'une journée. En voici les points remarquables: TOUR-RETTES, une charmante vieille bourgade fort appréciée des artistes et des artisans; plusieurs chutes d'eau (cascade de Courmes, des Demoiselles); et, surtout, GOURDON, juché sur un éperon vertigineux, à 760 m. Son château, ancien repaire sarrasin du IXe siècle, abrite

un petit musée du Moyen Age.

Si **Grasse,** capitale mondiale du parfum, ne vous accable pas de senteurs capiteuses, vous ne pourrez pas ignorer les grands panneaux qui vous invitent à visiter les parfumeries.

Bien que les Grassois aient commencé dès le XIIIe siècle à produire des essences à partir **51** des fleurs de la région, cette activité ne connut la prospérité que lorsque les Médicis eurent lancé, au XVIe, la mode des gants parfumés (Grasse fabrique aussi des gants).

De nos jours, les parfumeries consomment, au bas mot, pour l'extraction des essences, 10 000 tonnes de fleurs: violettes (de janvier à mars), mimosa (février), jonquilles (avril), roses, fleurs d'oranger, etc. Le prix si élevé de ces parfums s'explique si l'on songe qu'il faut une tonne de pétales pour obtenir un kilo d'essence!

Groupée sur une colline escarpée, la ville, réputée au siècle dernier pour son air vivifiant, attirait déjà les malades et les vacanciers. Ses fontaines, ses arcades et ses façades sculptées du XVIIIe font de l'accueillante **place aux Aires,** où il y a toujours foule, le coin le plus charmant de Grasse.

A quelques rues de là, plus bas, la place aux Herbes présente un marché plus impor-

tant encore. En quelques pas, vous gagnerez la **cathédrale,** un sobre édifice de pierre ocre, commencé au XIIᵉ et restauré au XVIIIᵉ siècle. Vous admirerez, à l'intérieur, sa voûte en berceau ainsi que l'une des rares toiles religieuses de Fragonard, le *Lavement des Pieds.*

Le **Musée Fragonard,** qui donne sur le boulevard du même nom, n'est autre que la villa dans laquelle le peintre vécut une année durant, fuyant ainsi la «révolution parisienne». Il y apporta une série de toiles à sujet licencieux, toiles qui avaient été refusées par madame du Barry. Bien que l'essentiel de la collection ait fini au Frick Museum, à New York, le Musée Fragonard conserve *Les Trois Grâces,* une toile magnifique et sensuelle.

Rue Mirabeau, le **Musée d'art et d'histoire de Provence** occupe une élégante demeure du XVIIIᵉ siècle, qui appartint à la marquise de Cabris, sœur de Mirabeau. Le mobilier de la marquise, remarquablement conservé, recèle un bidet en bois joliment sculpté, avec un bassin en conque, et une bai-

Extraits de parfum à Gourdon. A droite: toutes voiles dehors sur le lac artificiel de St-Cassien.

gnoire en étain montée sur roulettes.

Grasse constitue un excellent point de départ pour de charmantes excursions. Vous avez, au nord-est, Gourdon et la vallée du Loup (voir p. 51) et, au sud-ouest, le massif du Tanneron et le lac artificiel de Saint-Cassien, réputé pour la pratique de la planche à voile.

CABRIS (à 6 km. par la D4) commande un panorama impressionnant depuis les ruines de son vieux château: le Tanneron, l'Esterel et la Napoule à droite; Mougins et les îles de Lérins à gauche. Par temps clair, on distingue même les contours estompés de la Corse. Les GROTTES DE SAINT-CÉZAIRE, à quelque 8 km. de là, sont un havre de fraîcheur bienvenu. Elles présentent des draperies de stalactites aux couleurs extraordinaires (rouge sombre et rose). SAINT-CÉZAIRE lui-même est une jolie bourgade paisible qui possède une chapelle romane et offre une belle vue. Puis la route file au nord, en s'élevant au flanc d'âpres montagnes calcaires, couvertes de garrigues piquetées d'arbres rabougris. Depuis le vieux village perché de MONS (à 32 km. de Grasse), vous gagnerez le COL DE VALFERRIÈRE (1169 m.) pour redescendre au fil de la route

Napoléon par SAINT-VALLIER (panoramas superbes).

Autre possibilité: entrer, à l'ouest, dans le département du Var pour visiter des localités pittoresques comme FAYENCE (à 27 km. de Grasse), BARGEMON (à 44 km.), DRAGUIGNAN (à 56 km.), et pousser, pourquoi pas, jusqu'à l'**abbaye du Thoronet** (à deux heures de voiture). C'est un endroit tranquille et frais, perdu dans un cadre merveilleux où le vert des pins le dispute à la rousseur des affleurements de bauxite. Le Thoronet est l'une des trois grandes abbayes provençales. Cet édifice roman de pierre rose, qui date du XIIe siècle, est remarquable pour la pureté de ses lignes, son cloître massif et sa fontaine, le «lavabo», insérée dans un kiosque hexagonal, où les moines avaient l'habitude de se baigner.

Cannes
68 000 habitants

La ville perd son calme durant le Festival international du Film, en mai, et durant le M.I.D.E.M. (le festival du disque), en janvier. Le reste de l'année, elle sacrifie à sa vocation touristique, en station élégante et cosmopolite qu'elle est. Une station au cadre prestigieux, dont le port de plaisance est le plus animé de la Côte.

L'histoire de Cannes est liée à celle de ces deux îles que vous verrez à quelques encablures du rivage: les îles de Lérins. C'est au IVe siècle que saint Honorat fonde, sur la plus petite d'entre elles, un monastère appelé à devenir un lieu de pèlerinage fréquenté. Au Xe, les moines, qui reçoivent Cannes des mains du comte d'Antibes, édifient des remparts pour protéger les terres alentour des incursions sarrasines. Plus tard, ils devront également combattre les troupes de Charles Quint et les ducs de Savoie.

Mais en 1788, seuls quatre moines restent fidèles au poste. Si bien que l'on ferma le monastère, tandis que Cannes était rattachée à la France. Quand, en 1815, Napoléon après avoir débarqué à Golfe-Juan voulut faire halte à Cannes, il fut si froidement reçu qu'il dut se rendre alors à Grasse.

La **Croisette** constitue, comme la promenade des Anglais à Nice, un décor prestigieux. C'est un magnifique boulevard orné de palmiers et de fleurs, et bordé de grands palaces. Elle longe une plage dont le sable doré provient de Fréjus pour l'essentiel. Le vieux port et le Palais des

CANNES

Comment Cannes fut découvert

Cannes n'est encore qu'un paisible village de pêcheurs lorsque, en 1834, Lord Brougham, ancien chancelier d'Angleterre (ministre de la Justice) en route pour l'Italie, doit s'y arrêter en raison d'une épidémie de choléra. Son séjour inopiné se prolongeant, Lord Brougham bâtit une maison où il reviendra passer chaque hiver, sa vie durant.

Lord Brougham poussera Louis-Philippe à financer la construction d'une jetée au pied du vieux Cannes. Les membres de la *gentry* suivront bientôt Brougham à Cannes, comme touristes ou comme résidents. Une belle statue de l'homme qui a lancé la station trône sur la place Prosper-Mérimée, juste en face du Palais des Festivals.

A Cannes, pendant le festival, il y a ceux qui font du vrai cinéma, et il y a les autres...

Festivals se situent à l'extrémité ouest de la promenade, un second port et le casino du Palm Beach à l'extrémité est. Ce nouveau **Palais des Festivals et des Congrès,** qui comprend aussi un casino, accueille, outre le fameux Festival du Cinéma, de nombreuses manifestations culturelles.

A quelques rues de la Croisette, et parallèle à elle, la **rue d'Antibes** compte parmi les artères commerçantes les plus fascinantes de la Côte.

Si, le soir, vous levez les yeux, depuis le vieux port, vous verrez les remparts orangés de la vieille ville, **Le Suquet,** se détacher sur le ciel pourpre. Vous apercevrez également la **tour du Suquet,** haute de 22 m. Cette tour de guet carrée, érigée par les moines de Lérins, fut démolie sous la Révolution, mais finalement reconstruite pour répondre aux vœux des pêcheurs du coin qui réclamaient un repère suffisamment visible du large.

Tranquille et ombragée de pins, la place de la Castre (du latin *castrum*, «camp») forme le cœur de la vieille ville. Son église, de style gothique, remonte en fait au XVIIe siècle. Le **Musée de la Castre** (fermé le lundi) abrite une collection éclectique qui va d'une main de momie à une armure de samouraï, en passant par un mât provenant d'une hutte du Pacifique Sud. Le donateur, le baron Lycklama, un Hollandais, s'est fait représenter ici dans un extraordinaire accoutrement oriental.

Le Suquet ménage une vue superbe sur Cannes. Pour découvrir un panorama encore plus saisissant, vous monterez à l'**observatoire** de Super-Cannes (à 300 m. d'altitude).

Les îles de Lérins

Cette excursion constitue l'une des distractions les plus reposantes qui vous soient offertes à Cannes. Les services de bateaux sont fréquents en été, et la traversée dure 15 min. pour Sainte-Marguerite et 30 min. pour Saint-Honorat. Spectacles «Son et Lumière» sur les îles, en saison.

Sainte-Marguerite, l'île la plus proche de Cannes, est aussi la plus étendue. Elle étire ses collines boisées sur trois ki-

lomètres, possède une minuscule «grand-rue» et quelques restaurants. Elle doit son nom à la sœur de saint Honorat, qui y fonda sa propre communauté.

Vous monterez à pied jusqu'au vieux **Fort royal,** bâti sous Richelieu, d'où vous jouirez d'une vue merveilleuse sur Cannes, Antibes et l'arrière-pays. La grande curiosité, ici, c'est la prison, humide et malodorante, du Masque de fer.

Entre 1687 et 1698, en effet, un prisonnier masqué fut gardé ici. Son masque était en fait de velours, mais, comme il le portait en permanence, personne n'a jamais su au juste de qui il s'agissait, ni pourquoi il était emprisonné. Une théorie en a fait un frère illégitime de Louis XIV, une autre l'indélicat Fouquet, surintendant des Finances. L'énigme demeure entière...

A Sainte-Marguerite, vous vous promènerez, des heures durant, dans des bois agréablement frais et parfumés ainsi que dans une plantation d'eucalyptus énormes.

L'île de **Saint-Honorat,** «berceau» des moines qui gouvernèrent Cannes durant près de huit siècles, porte un nouveau monastère qui relève de l'ordre cistercien.

L'île, verdoyante et charmante avec ses pins parasol, ses

roses, sa lavande et les vignes de ses moines, est un havre de paix, hors saison. Vous découvrirez, au hasard de votre promenade, plusieurs petites chapelles romanes.

Crénelé, le **«château»** carré (il s'agit en réalité d'un donjon), constitue l'édifice le plus saisissant de l'île. Elevé au XIe siècle sur une citerne romaine, il servait de refuge aux moines en cas d'attaque.

Le monastère, édifié au siècle dernier, se visite sur demande uniquement. Vous pourrez voir cependant, sous la conduite d'un guide, le petit musée et l'église. Les moines tiennent un commerce prospère, attenant au musée: artisanat, eau de lavande et liqueur.

Les environs de Cannes

L'étonnant **château de La Napoule** (à 8 km. à l'ouest de Cannes) domine une baie et un port minuscules, dans un splendide décor de rochers rouges.

C'est en 1919 que le sculpteur américain Henry Clews (1876–1937) restaura ce château médiéval pourvu de tours et de créneaux. Il devait agrémenter de ses propres œuvres le moindre espace disponible.

L'excentrique Clews, qui se prenait pour un nouveau Don Quichotte et voyait en sa femme une nouvelle «Vierge de la Manche», a couvert sa demeure de devises tournant en dérision les égarements de la société.

Les heures de visite sont aussi fantasques que le décor, mais le musée est normalement accessible l'après-midi, sauf le samedi et le dimanche.

Un cadre aimable de collines molles et verdoyantes, tel est l'arrière-pays entre Cannes et Grasse.

Citons, parmi les haltes intéressantes: MOUGINS, un bourg fortifié du XVe siècle (avec quelques restaurants remarquables); VALBONNE, qui possède une belle place à arcades ombragée de grands ormes et une église romane joliment restaurée; PLASCASSIER, un village assoupi sur sa colline.

L'Esterel

Vieux massif de porphyre, l'Esterel s'étend de Cannes à Saint-Raphaël. Usé par l'érosion, profondément raviné, il n'atteint que 618 m. au mont Vinaigre. Et pourtant, l'Esterel ménage, au fil d'une côte escarpée, des paysages particulièrement grandioses.

La première route tracée **59**

dans l'intérieur (elle contournait en fait l'Esterel par le nord) fut la voie Aurélienne, construite par les Romains.

De nos jours, la plupart des gens empruntent l'autoroute «la Provençale» entre Cannes et Saint-Raphaël. Mais la route littorale, la **corniche d'Or,** est assurément plus pittoresque. Les porphyres rutilants s'abîment dans une mer indigo, en un merveilleux émiettement de couleurs et de formes.

Passé LA NAPOULE, voici THÉOULE, dont le château servit de savonnerie au XVIIIe siècle, puis PORT-LA-GALÈRE, et son flot de constructions modernes qui dévale d'une éminence fleurie. L'Esterel regorge de petites stations touristiques aux noms sonores et harmonieux: LE TRAYAS, ANTHÉOR, AGAY, BOULOURIS... Le **sémaphore du Dramont,** bâti sur les ruines d'une tour de guet, offre une vue «tous azimuts» sur la côte, qu'il domine. Près de la route s'élève la stèle de marbre qui commémore le débarquement américain du 15 août 1944.

Saint-Raphaël

Base de vacances privilégiée des amoureux de l'Esterel, Saint-Raphaël et son port de plaisance sont en pleine expansion.

Le moderne front de mer, bordé de palmiers, marque le centre de la ville (l'ancien front fut bombardé pendant la dernière guerre). Il porte une fontaine et une pyramide qui commémore le débarquement de Bonaparte à son retour d'Egypte, en 1799.

Saint-Raphaël fut, à l'origine, une petite station de villégiature pour les Romains basés à Fréjus, à peu près à l'emplacement occupé aujourd'hui par le Casino.

L'église des Templiers (XIIe siècle), dans la vieille ville, est surmontée d'une tour de guet qui a remplacé l'abside de droite.

Fréjus

Il reste peu de vestiges de l'importante ville commerçante de *Forum Julii* (Fréjus), fondée en 49 av. J.-C. Le vaste port, dont Auguste avait fait une véritable base dotée de chantiers navals, a été complètement colmaté. L'actuel Fréjus en occupe l'emplacement. Par ailleurs, à la suite de la rupture du barrage de Malpasset, en 1959 (catastrophe qui fit plus de 400

Le long de l'Esterel, la mer se frotte aux plages, s'écorche dans les rochers...

victimes), une partie de la ville dut être reconstruite.

Restaurées, les **arènes** constituent les plus impressionnants des vestiges romains du coin. (Elles sont fermées le mardi.) Cet édifice gris-vert, qui pouvait accueillir 10 000 spectateurs, est presque aussi vaste que les arènes d'Arles et de Nîmes. Des courses de taureaux s'y déroulent en saison. Parmi les autres ruines romaines, citons le théâtre et les grandes arches rougeâtres de l'aqueduc qui collectait les eaux de la Siagnole.

Presque totalement rasé par les Sarrasins au Xe siècle, Fréjus dut sa résurrection à l'évêque Riculphe qui fit élever, en 990, une **cité épiscopale** comprenant cathédrale, baptistère, cloître et évêché.

Colossales, les arènes de Fréjus pouvaient contenir au moins 10 000 personnes.

Inscrivez-vous, à l'entrée, à une visite guidée au cours de laquelle vous admirerez les vantaux sculptés Renaissance du porche, le baptistère et le cloître.

Le **baptistère** octogonal, l'un des édifices religieux les plus anciens de France (fin IVe–début Ve siècle), est ornementé de colonnes corinthiennes en granit noir provenant du forum de Fréjus. Les fonts baptismaux d'origine, en terre cuite, ont été exhumés lors de fouilles.

Ceint d'une galerie à étage, le **cloître** garde en son cœur un jardin et un puits. Les plafonds de la galerie supérieure portent quelques amusantes peintures du XIVe siècle.

La **cathédrale** (Xe–XIIe siècle) offre avec sa voûte en berceau brisé (achevée vers 1200) un bon exemple du gothique primitif provençal.

La côte des Maures

Sur le chemin de Saint-Tropez, vous traverserez SAINTE-MAXIME, attrayante petite station dotée d'un casino, d'une vaste promenade et d'une plage miniature. En été, la localité est envahie par des gens qui auraient bien voulu trouver une chambre d'hôtel à Saint-Tropez.

Saint-Tropez

Cette célèbre station n'a aucun mal à être à la hauteur d'une réputation fondée sur les fredaines des célébrités, la beauté de son port, ses cafés où se pressent les gens à la mode, ses boutiques élégantes et ses plages où la nudité fleurit parfois.

Si Brigitte Bardot fuit aujourd'hui la foule, d'autres vedettes «émergent» la nuit venue pour hanter les cafés et discothèques «in». Les rues sont animées par le bruyant carrousel des motos, par les allées et venues de mannequins et de play-boys arrogants. Mais l'hiver, la station redevient un paisible village de pêcheurs...

Saint-Trop' surmonte sa morgue en cultivant ses légendes. La localité doit son nom à un officier chrétien de Néron, Torpes, martyrisé à Pise en 68 apr. J.-C. Abandonnée au gré des vents et des courants, la barque dans laquelle le cadavre décapité aurait été placé avec un chien et un coq aurait abordé à l'emplacement de l'actuel Saint-Tropez. Vous verrez dans l'église un tableau qui représente le corps à la dérive avec les deux animaux, ainsi qu'une statue du saint.

La localité fut dévastée à différentes reprises par les Sarrasins et, récemment, durant l'occupation nazie et les combats **63**

de 1944. Mais ce vaillant village de pêcheurs réussit toujours à s'en tirer. En 1637, ses habitants parvinrent ainsi à repousser une «armada» d'envahisseurs espagnols. Une victoire encore commémorée (chaque année en mai) par la «bravade», cette fête qui honore également la mémoire de saint Tropez. Les Tropéziens revêtent pour la circonstance des costumes des XVIIe et XVIIIe siècles et ressortent leurs mousquetons, heureuse-ment chargés à blanc. La bravade est l'occasion de bruyants défilés (fifres et tambours en tête), ponctués par des feux d'artifice et des canonnades tirées depuis le vieux fort. (Des festivités semblables mais moins importantes se déroulent à la mi-juin.)

«Découvert» par Maupassant, Saint-Tropez devint une station élégante dans les années 1920, et reçut la visite de peintres comme Dunoyer de Segonzac, Bonnard, Dufy et Si-

Eh peuchère! Assis ou debout, on est toujours d'humeur à rire dans les rues de Provence.

gnac, qu'elle inspira. La grande Colette, elle, devait noircir bien du papier en sa villa de «La Treille Muscate».

La guerre finie, Saint-Tropez, rejetant avec sagesse tous les plans relatifs à une urbanisation moderne, s'attacha à retrouver son style d'antan.

Il est impossible de manquer le **port,** toujours fort animé en saison, avec ses yachts briqués et ses maisons pastel coiffées de tuiles rouges. Non loin, la **place des Lices,** ombragée de plata-nes, ne manque pas de couleur locale, au contraire: il y a le marché, plusieurs matins par semaine, et la pétanque qui constitue la grande attraction, en fin d'après-midi.

Le **Musée de l'Annonciade,** une ancienne chapelle située sur le côté ouest du port, abrite une remarquable collection de **65** toiles impressionnistes et post-impressionnistes. Vous y admirerez des œuvres de Signac, Van Dongen, Dufy, Bonnard, entre autres. Au dehors, le quai est encombré d'artistes qui s'efforcent de «placer» leurs œuvres (on peut même dire leur «marchandise», quand on a contemplé les trésors de l'Annonciade).

Une courte promenade, au-delà du quai Jean-Jaurès, vous mènera dans le vieux Saint-Tropez. Il vous faudra franchir une arcade près de la Ponche, l'ancien port de pêche, et dépasser de vieux édifices occupés par des hôtels et des boutiques de luxe pour atteindre la **citadelle** (XVIIe siècle), sur une hauteur.

Noyés dans la verdure, les fossés abritent des paons, des canards et quelques cerfs. Le

A la plage de Tahiti, on joue, on mange et surtout... on bronze!

Musée de la Marine, logé dans la citadelle, rassemble des souvenirs relatifs au héros local, le fameux Suffren qui, après avoir mené, en 1781, une flotte jusqu'à Madras par le cap de Bonne-Espérance, menaça l'hégémonie anglaise aux Indes.

Saint-Trop' est célèbre pour ses plages. Si certaines d'entre elles, proches comme les Graniers ou la Bouillabaisse, sont appréciées par les gens du coin les fins de semaine, elles sont boudées par les estivants. Ceux-ci préfèrent filer aux Salins ou gagner le croissant de sable qui s'étire, en bordure d'un vignoble, de Tahiti à Pampelonne et au cap Camarat, sur plus de 9 kilomètres.

Cette plage de sable fin aligne en saison toutes sortes d'abris et de cabanes où l'on trouve matelas, parasols et de quoi sustenter les amateurs de bains de soleil. Un secteur est, traditionnellement, livré aux nudistes. D'autres secteurs sont plus ou moins discrets et plus ou moins chic: chacun a son style propre.

Autres ports et villages

Saint-Tropez est entouré de coins délicieux, à visiter quand vous serez fatigué de la plage. Quelques minutes suffisent

pour atteindre GASSIN et RAMATUELLE, ainsi que les ruines des MOULINS DE PAILLAS. Ces bourgades vous donneront un premier aperçu des **Maures:** le massif le plus ancien de la Provence. Ses «montagnes» de granit, usées par l'érosion, sont couvertes de pinèdes et de maquis.

Filant vers le nord, vous pénétrerez dans les Maures par une longue route qui multiplie les épingles à cheveux. Elle vous mènera jusqu'à **67**

LA GARDE-FREINET, dont le charme naturel, demeuré intact, et la fraîcheur attirent les Parisiens las de la cohue. Le village vit de l'industrie des bouchons et de la préparation des châtaignes.

Les ruines d'une antique forteresse évoquent l'ultime séjour des pillards mauresques. Ils réussirent à s'y maintenir durant un siècle, descendant razzier les localités alentour. Jusqu'à leur expulsion, en l'an de grâce 973.

Le temps vous presse? Alors, évitez La Garde-Freinet, et arrêtez-vous à GRIMAUD.

Grimaud fut autrefois le fief de Gibalin de Grimaldi. Les ruines de la forteresse s'adossent à une verdoyante colline. Il est possible de jeter un coup d'œil à l'église des Templiers (modeste édifice du XIe siècle, aujourd'hui restauré, qui possède une voûte en berceau), et à une chartreuse agrémentée d'arcades.

Vous redescendrez jusqu'à PORT-GRIMAUD (à 6,5 km.), sur la baie de Saint-Tropez: imaginez une version moderne d'une Venise française. Port-Grimaud, conçu par François

Spoerry et ouvert en 1964, consiste en un réseau de canaux établis dans des marécages, bordés de charmantes maisonnettes et de terrasses peintes dans les mêmes couleurs que Saint-Tropez.

Dans l'esprit de bien des gens, Saint-Tropez (voire pour certains Saint-Raphaël) marque la limite occidentale de la Côte d'Azur. A l'ouest, le littoral n'est pas toujours des plus beaux car l'invasion récente du béton l'a en partie défiguré.

Les petites stations balnéaires, noyées sous les fleurs, qui s'égrènent au pied des Maures, comme LA CROIX-VALMER, CAVALAIRE, RAYOL et PRAMOUSQUIER, sont encore très agréables.

LE LAVANDOU, pittoresque naguère encore, a malheureusement souffert de l'urbanisation. La station, qui n'en demeure pas moins populaire, dispose d'une agréable promenade en bord de mer. BORMES-LES-MIMOSAS, perché à 140 m. d'altitude, est une adorable «retraite» qui fait pleinement honneur à son nom: elle se pare de mimosas, bien sûr, mais aussi de lauriers-roses, de géraniums, de roses et de bougainvillées.

Hyères, «découverte» par les Français à la fin du XVIIIe, juste à l'époque où les Anglais

commençaient à passer l'hiver à Nice, est la doyenne des stations méditerranéennes. Sur l'ombreuse place de la République s'élève une **église** du XIIIe siècle où, à son retour de la septième croisade (1254), Saint Louis s'arrêta pour prier.

Ville active, Hyères présente comme principales curiosités: le marché de la rue Massillon, à voir le matin, quand l'animation est à son comble (ajoutons, d'ailleurs, que le grand prédicateur Massillon était un en-

fant du pays); la vieille ville, la commanderie des Templiers et l'église Saint-Paul, un édifice gothique restauré au XVIᵉ siècle. Depuis la place Saint-Paul, la vue est étendue.

Un pêcheur qui saute la sieste pour mieux réparer ses filets.

Aux îles d'Hyères

Appelées aussi «îles d'Or», en raison de leurs roches pailletées de mica que l'on prend parfois pour de l'or, elles sont au nombre de trois: Levant, Port-Cros et Porquerolles. Il est fa-

cile de les atteindre par bateau depuis Hyères, Le Lavandou et même depuis Cavalaire ou Toulon.

La rocheuse **île du Levant** est le haut lieu du nudisme en France. Gardez votre maillot si vous le voulez, mais abstenez-vous de manifester quelque ahurissement et de prendre des photos. Les naturistes n'aiment pas être traités en bêtes curieuses. Il est interdit de pénétrer dans la moitié est de l'île: c'est une base navale.

A quelques encablures de l'île du Levant, **Port-Cros,** plus petite, étire ses collines escarpées, couvertes de myrtes et de bruyère, où les oiseaux sont légion. C'est un parc national, peuplé de flamants, de tourterelles, de cormorans et de macareux.

Porquerolles, la plus étendue des trois (7,5 km. sur 2,5), est, elle aussi, un coin enchanteur. Elle aligne sur sa côte nord, où abordent les bateaux, une série de plages et, sur sa côte sud, des falaises abruptes.

Porquerolles et Port-Cros possèdent l'une et l'autre de plaisants petits hôtels, mais ne manquez pas de réserver!

De Toulon à Marseille

Toulon
186 000 habitants

Les «fanas» des souvenirs militaires adorent Toulon, grand port de guerre français, où tout évoque l'histoire maritime. Le pittoresque front de mer fut anéanti en 1943–1944. Reconstruit, il conserve une certaine allure malgré ses modernes alignements de béton.

Toulon devait acquérir une grande importance au XVIIᵉ, grâce à Richelieu qui vit tout l'intérêt présenté par un grand port naturel. L'infatigable Vauban fut chargé, sous Louis XIV, de fortifier la rade et d'en développer les installations.

La Seconde Guerre mondiale fut une tragédie pour la base navale. Le 27 novembre

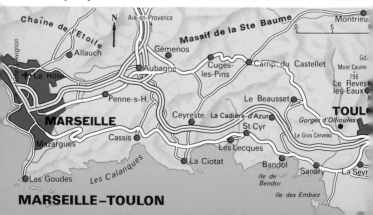

MARSEILLE–TOULON

1942, la flotte française presque au complet se saborda pour éviter de tomber entre des mains allemandes, mais aussi pour bloquer la rade. Près de deux ans plus tard, le port fut bombardé par les Alliés: les Allemands firent alors sauter leurs installations avant de se retirer. Mais Toulon a retrouvé, au terme de sa reconstruction, son importance d'antan.

Large et animé, le boulevard de Strasbourg, qui part de la place de la Liberté, irrigue le cœur de Toulon et divise la ville par moitié: les quartiers récents, plus résidentiels, au nord; les vestiges de la **vieille ville**, au sud. En prenant cette direction, vous atteignez la charmante place Puget (juste derrière le Théâtre municipal): une place typiquement provençale, écrin de verdure disposé autour de la fontaine des Trois-Dauphins. L'étroite rue d'Alger, qu'anime un marché, descend vers la mer. C'est, le soir, la promenade favorite des Toulonnais.

Sur la gauche, vous gagnerez la **cathédrale Sainte-Marie-Majeure:** sa belle façade et son clocher baroques datent du XVIIIe. Un pâté de maisons la sépare, à l'est, du cours Lafayette, une artère des plus animées, avec ses marchés couverts ou en plein air. Les passionnés d'histoire visiteront le (proche) Musée historique du Vieux-Toulon.

Le **port** est un quartier particulièrement vivant. Vous y verrez les cariatides musclées (œuvres de Puget) gardant l'entrée du **Musée naval** qui renferme d'étonnantes maquettes de bateaux (fermé le mardi).

Le **Musée d'art et d'archéologie** (fermé le lundi et le jeudi) présente une remarquable collection d'art oriental (Tibet, Inde, Japon et, spécialement, Chine).

Le **mont Faron** (542 m.) offre un panorama grandiose sur Toulon, son cadre de montagnes et la côte. Vous y accéderez en auto par une montée accentuée et sinueuse, ou par le téléphérique qui part de la corniche du Faron. La tour Beaumont, près du sommet, abrite le Mémorial national du Débarquement.

Citons parmi les buts d'excursions, dans l'arrière-pays toulonnais, le **Gros Cerveau,** éminence qui commande un panorama magnifique; les sauvages **gorges d'Ollioules;** les vestiges d'un château du XVIe, à **Evenos;** et un autre belvédère, celui du **mont Caume** (801 m.). Si vous avez le temps de vous aventurer plus au nord, vous découvrirez les paysages **73** typiquement provençaux du **massif de la Sainte-Baume.** Le belvédère de **Saint-Pilon** (994 m.) offre une vue fantastique.

🏃 Les calanques

La côte, calcaire entre Toulon et Marseille, est entaillée par de profondes calanques, anciennes gorges que la mer a envahies. Tout ce secteur, sur un arrière-plan de garrigues, devait fatalement subir une mise en valeur touristique. Il conserve néanmoins dc beaux sites naturels.

Localité bien abritée, avec ses plages de sable et son vieux port, SANARY est la première ville que vous toucherez le long des «baies du Soleil». **Bandol,** la plus importante des stations de la région, jouit d'un climat doux.

Vous avez, de là, la possibilité de faire une agréable excursion à l'**île de Bendor** (propriété privée). Cette île, récem-

ment aménagée, présente la reconstitution d'un village provençal, ainsi que des musées dédiés à la mer et au vin.

La Ciotat, dont les chantiers navals comptent parmi les plus importants et les plus actifs du monde, est parvenue à préserver quelques bribes de son charme d'antan. Son vieux port de pêche est resté typiquement provençal.

Peut-être le port de **Cassis** vous semblera-t-il familier? Peut-être, justement, aurez-vous déjà admiré ici ou là tel ou tel tableau qu'il a inspiré à Vlaminck, à Matisse ou à Dufy? Vous retrouverez ici les mêmes maisons aux stucs colorés, les

Les femmes portent tout le soleil de la Provence dans le regard. Un coup d'œil sur les calanques.

mêmes petites voiles triangulaires, avec, en toile de fond, les rochers de la Gardiole ou les falaises boisées du cap Canaille.

Mais Cassis est surtout connu pour ses incomparables coquillages, ses fameux oursins, son inimitable bouillabaisse et son petit vin blanc, apprécié dans toute la région.

Vous voudrez certainement, depuis Cassis, visiter quelques calanques, de préférence en louant un bateau ou en participant à une excursion. La plus saisissante d'entre elles, **En Vau,** évoque un fjord en miniature. D'étonnantes falaises encadrent ses eaux turquoise.

Marseille

L'antique Phocée est la deuxième ville et le port le plus actif du pays.

Vous commencerez par flâner autour du Vieux-Port, reconstruit après 1944, avant d'emprunter la célèbre Canebière. Puis vous monterez à la basilique Notre-Dame-de-la-Garde (élevée au siècle dernier dans le style romano-byzantin) d'où la vue s'étend, superbe, sur toute l'agglomération.

Marseille offre de multiples possibilités pour le «shopping». Ville industrieuse et cosmopolite, elle vous propose d'intéressants musées, et d'excellentes tables où vous dégusterez l'une des meilleures bouillabaisses de la côte, spécialement aux alentours de la Canebière.

Au château d'If

Du Vieux-Port, où rôdent encore les ombres des héros de Pagnol, une vedette vous mènera au château d'If. Une austère forteresse du XVIe siècle, qui serait aujourd'hui bien oubliée sans Alexandre Dumas. Car c'est là, rappelez-vous, qu'Edmond Dantès, le futur Monte-Cristo, devait se morfondre quatorze années durant...

Marseille, le Vieux-Port: tout un programme...

Que faire

Les musées

La Côte d'Azur est semée de remarquables musées. Les horaires ont tendance à être quelque peu embrouillés. Cependant, ces musées sont ouverts, pour la plupart, de 9 ou 10 h. à midi et, l'hiver de 14 à 18 h., l'été de 15 h. à 19 h.

Antibes

Tous les musées sont fermés le mardi et en novembre.

Musée Grimaldi-Picasso, place du Château. Une prodigieuse collection d'œuvres de Picasso (voir p. 44).

Musée archéologique, bastion Saint-André. Les antiquités de la région.

Musée naval et Napoléonien, près de l'«Eden-Roc», au cap d'Antibes.

Beaulieu

Villa Kérylos, ouverte l'après-midi seulement, fermée le lundi et en novembre (voir p. 30).

Biot

Musée national Fernand-Léger. Ouvert tous les jours, sauf le mardi (voir p. 46).

Cagnes-sur-Mer
Château-musée. Art moderne et musée de l'Olivier. Fermé le lundi et du 15 octobre au 15 novembre (voir p. 47).

Cannes
Musée de la Castre, au Suquet. Des collections éclectiques. Fermé le lundi et du 1er novembre au 15 décembre.

Grasse
Musée d'art et d'histoire de Provence et *Musée Fragonard.* Fermés le samedi et le dimanche (sauf le premier et le dernier dimanches du mois où l'entrée est libre), ainsi qu'en novembre (voir pp. 53–54).

La Napoule
Château (Fondation Henry Clews). Ouvert en été de 17 à 18 h., et en hiver de 15 à 17 h. (voir p. 59).

Monaco
Palais du Prince. Ouvert toute la journée du 1er juin au 15 octobre. *Musée océanographique.* Ouvert tous les jours. *Musée national.* Ouvert tous les jours, sauf les jours fériés (voir pp. 38–39, 40 et 42).

Nice
Tous les musées sont fermés le lundi, les jours fériés et en novembre.

Musée Masséna, 35, promenade des Anglais. Une vieille demeure qui abrite un bel ensemble de meubles Empire, des collections historiques, des peintures de l'Ecole niçoise (XVe–XVIe siècle), ainsi que des toiles impressionnistes.

Musée des Beaux-Arts Jules-Chéret, 33, avenue des Baumettes. Œuvres de Rodin, Fragonard, Van Dongen, Vallotton, Signac, Bonnard parmi beaucoup d'autres; charmants pastels dus au talent de Chéret; œuvres de Gustave-Adolphe Mossa, peintre symboliste méritant d'être mieux connu.

Palais Lascaris. Un palais baroque au cœur du Vieux-Nice (voir pp. 22–24).

Musée du Vieux-Logis, 59, avenue Saint-Barthélemy. Collections historiques: statues gothiques, peintures religieuses et vitraux.

Musée de malacologie, 3, cours Saleya.

Musée de Terra Amata, 25, boulevard Carnot. Un aperçu attrayant sur la préhistoire en pays niçois.

Musée Matisse et d'archéologie, 164, avenue des Arènes, Cimiez.

Musée international d'art naïf, château Sainte-Hélène, avenue Val Marie. Entrée libre.

Musée Chagall, avenue du Docteur-Ménard.

Au musée de Biot, côté jardin, Fernand Léger joue avec la nature.

Saint-Jean-Cap-Ferrat
Fondation Ephrussi de Roth-schild. Une résidence Belle Epoque et de beaux jardins. Fermée le lundi et en novembre (voir p. 30).

Saint-Tropez
Musée de l'Annonciade. Une collection de peintures de notre siècle. Fermé le mardi et en novembre (voir pp. 65–66).

Saint-Paul-de-Vence
Fondation Maeght. Ouverte tous les jours (voir p. 49).

Vence
Chapelle du Rosaire. Ouverte le mardi et le jeudi de 10 h. à 11 h. 30 et de 14 h. 30 à 17 h. 30 (plus souvent en été). Fermée tous les jours fériés, ainsi que du 1er novembre à la mi-décembre (voir p. 51).

Le coin des enfants...

Sans parler des innombrables installations sportives, les enfants auront, sur la Côte, de multiples occasions de s'amuser. Il existe un zoo à Monaco, au cap Ferrat (où un spectacle monté avec des singes est présenté l'après-midi), à Fréjus et à Toulon.

Le Musée océanographique de Monaco possède un merveilleux aquarium, tandis que le Marineland (entre Antibes et Biot) présente des manchots et des phoques; spectacle de dauphins, l'après-midi.

Le Musée national de Monaco expose, outre des poupées aux costumes magnifiques, d'amusants automates. Toujours à Monaco, le musée de figures de cire est également très apprécié des enfants.

Sur la Côte d'Azur, une fête ne se termine jamais sans de grands feux d'artifice.

Festivals et festivités

Voici quelques festivités parmi les plus marquantes:

Janvier
Monte-Carlo. En ville, ultime épreuve du Rallye automobile.
Cannes. Le MIDEM, Marché International du Disque et de l'Edition Musicale.

Février
Nice. Le Carnaval, dans les deux semaines précédant Mardi gras.
Cannes. Le festival du mimosa célèbre dame Nature.
Menton. A l'heure des fêtes du citron, les épousailles de la ville et de ses «fruits d'or».

Mars–avril
Vence. Bataille de fleurs et danses provençales.

Avril
Monte-Carlo. Open de Monte-Carlo (championnat de tennis).

Mai
Cannes. Festival International du Cinéma.
Saint-Tropez. La «bravade» (voir p. 64) du 16 au 18 mai.
Monaco. Le Grand Prix automobile.
Grasse. La fête de la Rose.

Juin
Antibes. La fête de saint Pierre (le dernier dimanche du mois).
Nice. Festival de musique sacrée.
Saint-Tropez. La seconde «bravade» (le 15).

Juillet
Le 14 juillet, fête nationale, chaque ville et village est le cadre de feux d'artifice et de bals.
Antibes/Juan-les-Pins. Festival de Jazz.
Monaco. Festival pyrotechnique.
Nice (Cimiez). Grande parade du jazz.

Août
Menton. Festival international de musique de chambre.
Roquebrune. Procession et scènes de la Passion dans le vieux village.

Octobre
Cannes. Le MIPCOM, Marché international des films et des programmes pour la TV, le câble et les satellites.

Les achats

La plupart des boutiques et des grands magasins sont ouverts de 8 ou 9 h. à midi et de 14 h. à 19 h. du mardi au samedi (de nombreux commerces sont en effet fermés le lundi). Mais ces horaires ne sont pas toujours suivis rigoureusement. En été,

les petits magasins ouvrent moins tôt l'après-midi pour ne fermer que tard dans la soirée, et cela à l'intention des touristes. Certains magasins ouvrent aussi le dimanche.

Quelques suggestions

La Côte constitue la plus séduisante des «vitrines»: vous y trouverez ce que la France produit de mieux: haute couture, joaillerie, argenterie, verrerie et même fourrures. Les boutiques de la rue de France à Nice, de la rue d'Antibes à Cannes et du quartier du Casino à Monte-Carlo soutiennent la comparaison avec les boutiques parisiennes.

Parmi les articles intéressants, et d'un luxe abordable, figurent écharpes de soie, parfums, liqueurs et même savons de toilette. Par ailleurs, les vêtements sport sont hautement recommandés, spécialement pour les dames. Les dernières nouveautés sont toujours exposées dans les petites boutiques.

L'artisanat d'art

Vous trouverez de belles poteries, des grès vernissés et des céramiques, en particulier autour de Vallauris, Saint-Paul-de-Vence et Biot. Un large choix, du simple cendrier aux services de table complets, avec décor uni, fleuri ou abstrait. La verrerie de Biot, avec ses couleurs raffinées, convient merveilleusement pour une maison de campagne.

Les devantures regorgent de pierres fines, souvent montées

Objets en bois, œuvre abstraite, le choix existe!

en bijoux. Par ailleurs, vous trouverez des objets en olivier, authentiques productions locales.

On vous proposera un peu partout, surtout sur les marchés, ces fameuses cotonnades provençales aux séduisantes impressions fleuries. Vous pourrez en acheter une pièce.

Antiquités et objets d'art

Vous dénicherez des tables et des commodes provençales anciennes, des pendules et des chandeliers en laiton, des ustensiles de cuisine en cuivre, des porcelaines plus ou moins rares et une foule d'objets «kitsch».

Vous voudriez acheter une œuvre d'art? Des possibilités infinies s'offrent à vous, et à tous les prix. Il y a des centaines de galeries qui vendent des œuvres de peintres et de sculp-teurs cotés ou d'artistes du coin. Aux alentours des ports, des peintres proposent leur production.

Les souvenirs

Tout est prévu en ce domaine. Vous cherchez un fanion en satin à franges avec une vue du port de Cannes, ou un cendrier représentant le château du coin? Quelque objet agrémenté du portrait de la famille de Monaco? Alors, vos vœux seront facilement exaucés!

Il y a aussi, pour les philatélistes, les magnifiques timbres monégasques. Et, pour les petites filles, des souvenirs toujours appréciés, comme les bijoux en coquillage et les poupées folkloriques.

Quelques tuyaux pour vos achats

Si vous avez le temps, comparez les prix dans différents magasins avant de vous décider. Vous pourrez toujours essayer de marchander aux étalages ou dans les boutiques. Mais cela marche rarement, surtout si le prix est indiqué.

Renseignez-vous avant de rentrer sur la possibilité d'obtenir une rétrocession de la TVA (Taxe à la Valeur Ajoutée) lors d'achats importants. Le formulaire que l'on vous remettra devra être présenté à la douane au moment où vous quitterez le pays. La TVA vous sera remboursée ultérieurement. (Attention aux taxes bancaires sur les chèques étrangers.)

Les magasins portant en vitrine la mention «hors taxes» déduisent souvent la TVA, même sur de petits achats. L'aéroport international de Nice est un bon endroit pour acheter des produits hors taxes: alcools, conserves de luxe, foulards signés, parfums...

Les sports et les jeux

Son climat fait de la Côte d'Azur le paradis des sports de plein air, et les équipements sont généralement de premier ordre.

Baignade

La nouvelle classification des plages tient essentiellement compte de leur degré de propreté; des 143 plages de la Côte d'Azur, six seulement ont obtenu la lettre C (utilisable); toutes les autres sont classées sous la dénomination A ou B (impeccable ou pratiquement non polluée). Bien entendu, les concessionnaires de plages font payer l'entrée et (ou) la jouissance d'une cabine dans de nombreux secteurs. Vous pourrez y louer un matelas, indispensable lorsque la rive est couverte de galets. Le public a aussi librement accès à certaines plages – plus ou moins bien entretenues –, aux abords de parkings ... payants! Enfin, si vous préférez les piscines, elles sont nombreuses dans la région.

Planche à voile

Voilà un sport difficile à maîtriser. Pourtant, il est de plus en plus pratiqué sur la Côte. Vous pourrez prendre des cours et même louer une planche. **85**

Ski nautique

Ce sport (prix p. 105) est pratiqué sur toutes les grandes plages (Nice, Cannes, Antibes, etc.). Les «casse-cou» s'adonneront au parachute ascensionnel.

Plongée, chasse sous-marine

Il existe des centres de plongée à Antibes, Cagnes, Cannes, Monte-Carlo et Nice. Vous pourrez y louer un équipement et même vous inscrire à un cours.

Pêche

La faune marine est appauvrie par une pêche excessive et par la pollution. Vous aurez quand même la possibilité de passer des heures agréables avec un hameçon amorcé, depuis une jetée, ou de vous offrir une journée en mer à bord d'un bateau de pêche. Les vrais sportifs aimeront taquiner la truite dans les torrents de l'arrière-pays. Renseignez-vous sur les autorisations requises!

Yachting

La côte est bordée d'installations de premier ordre. S'il vous faut, en toute chose, le *nec plus ultra* et si vous n'avez pas votre propre bateau, vous loue-

La pêche a ses charmes...

rez une embarcation de 30 mètres, avec son équipage de dix hommes... et vous n'aurez plus qu'à paresser et à vous laisser glisser au fil de l'eau! Pour les porte-monnaie un peu moins gonflés, il existe aussi des embarcations plus modestes. Tous les centres nautiques de la côte proposent cours et équipement.

Tennis

Vous trouverez des courts un peu partout. Une tenue adéquate et le versement donnant droit à l'utilisation d'un court pendant une heure (prix p. 105) vous feront admettre dans la plupart des clubs.

En été, pensez à réserver un court un jour à l'avance. C'est plus sûr!

Les plus beaux golfs de France sont installés sur la Côte d'Azur.

Golf

La région possède les plus beaux links de France. Vous avez de superbes parcours (à 18 trous) à Biot, Mandelieu-La Napoule, Monte-Carlo, Mougins, Valbonne, ainsi que quelques parcours à 9 trous, en particulier à Tende.

Emmenez chaussures et balles – elles sont chères ici –, vous ne vous en repentirez pas. Mais l'équipement peut être loué. (Voir prix p. 105.)

Equitation

Les possibilités sont innombrables. Il s'agit souvent de manèges style «ranch», en général installés dans l'arrière-pays.

Ski

A deux heures seulement de la côte, vous avez onze régions de sports d'hiver, dont certaines sont parfaitement équipées. Les plus connues sont Isola 2000 (où est enseignée une nouvelle méthode accélérée de ski), Auron et Valberg. Autres stations: Andon, Beuil, Gréolières-les-Neiges, La Colmiane-Valdeblore, Turini. La saison s'étend du 15 décembre à fin avril. La neige est abondante, et le soleil au rendez-vous! Des services de cars desservent les principaux centres de ski depuis Nice et Cannes.

Autres activités sportives

Qui dit «boules» pense «pétanque»! Les gens du coin vous y initieront volontiers! Vous pourrez également pratiquer, un peu partout, votre sport favori: bowling, judo, tir à l'arc, ping-pong, alpinisme ou escrime. Vous tenez la forme? Louez donc un vélo, histoire de rivaliser avec les fanas de la «petite reine». L'hippodrome le plus moderne de la région est situé au Cros-de-Cagnes.

La vie nocturne

La Côte d'Azur est le paradis des noctambules, avec une vie nocturne endiablée du premier «apéro» au bord de l'eau au dernier verre, bien après minuit, voire à l'aube. Le lendemain, certains arrivent tout juste à se traîner jusqu'à la plage! L'éventail des divertissements va de la tournée des cabarets autour de quelque port (à Nice ou à Toulon) aux bals les plus huppés du monde, en particulier à Monte-Carlo.

Activités culturelles

Sur un plan plus sérieux, la Côte vous offre le *nec plus ultra* en matière de musique et de ballet. L'Opéra de Monte-Carlo propose, toute l'année, un programme brillant: opé- **89**

Au casino de Monte-Carlo, l'œil est rarement déçu.

ras, concerts, ballets, pièces de théâtre. Les concerts qui ont pour cadre la cour du palais du Prince, l'été, sont particulièrement courus (retenez vos places!). Menton organise, en août, un fameux festival de musique. Nice, qui dispose d'un opéra, donne en hiver de belles pièces de théâtre. Toulon présente en son Théâtre municipal concerts et ballets. Enfin, les derniers films sortent ici en même temps qu'à Paris. Quelques indications de prix figurent à la page 103.

Discothèques et boîtes de nuit

Pour un bon spectacle de variétés, un dîner élégant ou une soirée dansante chic, rendez-vous à Nice, Monte-Carlo ou Cannes. L'ambiance, dans les discothèques, est plutôt frénétique, mais vous pourrez entrer presque partout. Monte-Carlo possède les discothèques les plus élégantes, Saint-Trop' la clientèle la plus «dans le vent». Entre ces deux stations, vous trouverez toutes sortes d'établissements, avec une ambiance particulièrement tapageuse, l'été, à Juan-les-Pins. Comme «ça ne chauffe pas» avant 11 h. du soir, dans les discothèques, ne dînez pas trop tôt.

Casinos

Même si l'atmosphère n'est apparemment pas tendue dans la rue, le jeu est ici la raison de vivre de certaines gens. Monte-Carlo a joué les pionniers en 1860, et d'autres villes ont suivi ce profitable exemple, quelque cinquante ans plus tard. Vingt casinos, au moins, fonctionnent aujourd'hui sur la côte, entre Menton et Sainte-Maxime.

Depuis les machines à sous (toute la journée) jusqu'au baccara, toute une gamme de jeux vous est proposée. Les casinos ouvrent ordinairement après 15 h. (cela varie d'un établissement à l'autre) pour ne fermer que lorsque le dernier des jusqu'au-boutistes se lasse! Avis aux lève-tôt: le Grand Casino de Monte-Carlo ouvre à 10 heures du matin.

Le prix de l'entrée varie d'un endroit à l'autre. Il arrive même qu'il ne faille pas s'acquitter d'un droit d'entrée, comme au casino de Monte-Carlo. Mais partout, ou presque, on vous demandera votre passeport.

Les plaisirs de la table

Une balade dans les rues de n'importe quelle ville de Provence vous permettra souvent de deviner ce que mitonnent les cuisinières du coin. De merveilleuses odeurs flottent alentour: cela fleure bon le romarin ou le thym, l'ail, l'huile d'olive, la viande ou le poisson grillé au feu de bois. Imaginez en outre des tomates dodues et juteuses, des poivrons croquants, des aubergines charnues, des sardines argentées (le tout provenant du marché voisin), et vous serez prêt à passer à table.

En Provence, pays d'Escoffier, la gastronomie française atteint des sommets. Vous y trouverez quelques-unes des meilleures tables de France, où vous goûterez des mets exquis (et... chers!) dans un cadre incomparable. Mais une nourriture sans prétention, auréolée de fumets puissants, peut s'avérer tout aussi délicieuse. La cuisine provençale, vous le savez, fait un large usage de l'ail, de la tomate et des herbes. Ne fuyez pas l'ail et l'oignon, éminemment appropriés au climat.

Soupes et salades

Le *pistou* peut être un véritable repas. C'est une soupe aux légumes épaisse (proche du *mi-* **91**

La bouillabaisse

Triomphe de la gastronomie provençale, la bouillabaisse a sa mystique, et chaque maître-queux son secret. Certains chefs ne peuvent mettre de la langouste dans la «soupe d'or» sans que d'autres ne crient à l'hérésie. Les moules? Elles sont bonnes pour les Parisiens! Les chefs toulonnais ne peuvent y ajouter de pommes de terre sans que leur collègues marseillais ne crient au scandale!

Pour la bouillabaisse, il faut des poissons de roche, bien frais: rascasse, galinette, rouquier, saint-pierre, chapon, pageot, baudroie, crustacés divers, le tout cuit dans un savant mélange d'eau, de vin et d'huile d'olive, avec oignon, ail, fenouil, safran... Des tranches de pain rassis et une «rouille» d'enfer accompagnent le bouillon et les poissons...

«favouilles» (crabes), avec tomates, safran, ail et oignon. On la sert agrémentée de croûtons, de «râpé» et d'une bonne «rouille» (sorte d'aïlloli au piment, à la tomate et à l'ail). La *bourride,* encore plus consistante et plus riche, comprend quantité de poissons concassés, servis avec tomates, pommes de terre, aïoli.

A propos de l'ail, essayez donc un bon *aïoli* (ou *aïlloli),* une riche mayonnaise faite d'ail pilé, d'huile d'olive et d'œufs. L'accompagnement idéal pour poisson froid, viande froide, légumes bouillis... si vous n'avez personne à voir l'après-midi!

La fantaisie préside à la confection de mille salades. Nombre d'entre elles comportent du jambon, du fromage ou des fruits de mer. La *salade antiboise,* ainsi, comprend des dés de poisson, des filets d'anchois, agrémentés de poivrons, betterave, riz et câpres, en vinaigrette.

La célèbre *salade niçoise* peut représenter un vrai festin à elle seule. Elle se compose essentiellement de tomates,

nestrone), dans laquelle figurent tomates, haricots blancs, oignons ou poireaux, herbes de Provence (basilic) et, ordinairement, ail; le tout saupoudré de «râpé».

La *soupe de poisson,* que certains préfèrent à la bouillabaisse, est également substantielle. Elle est faite de «poissons pour la soupe» (rouquiers, girelles, rascasses, congres) et de

92

d'anchois, de radis, de poivrons verts, d'olives, et parfois de concombres et de cœurs d'artichauts, le tout généreusement arrosé d'une vinaigrette corsée. Thon, céleri, haricots verts, œufs durs et quelques feuilles de laitue (un sacrilège pour les puristes!) compléteront dignement le tableau.

Poissons

Le poisson roi, sur la Côte, c'est le *loup*, de préférence grillé «au» fenouil et flambé. Moins coûteuse, la *daurade* est d'ordinaire grillée ou cuite au four avec des tomates et des oignons, un filet de citron et deux doigts de vin. On en rectifie parfois l'assaisonnement avec

Menton, place aux Herbes, l'heure de l'apéritif: la soirée promet d'être passablement gaie.

de l'ail et quelques gouttes... de pastis. Le *rouget*, quant à lui, est grillé ou préparé en papillottes (cuit au four avec des tranches de citron).

Les *scampi* (langoustines) figurent sur toutes les cartes. Généralement bons, ils n'en sont pas moins, invariablement, importés surgelés. La *langouste* coûte une petite fortune. On la sert froide (en mayonnaise) ou chaude (à l'américaine : dans une sauce parfumée à la tomate et au cognac).

Les moules sont très appréciées à la marinière (cuites dans leur jus avec du vin blanc, rappelons-le), en soupe ou farcies. La *friture* représente une gourmandise modeste, mais follement appétissante. Vous l'arroserez d'un bon petit vin blanc !

Viandes et volailles

Le bifteck donne lieu à différentes préparations, mais les meilleurs morceaux (entrecôte, côte de bœuf, faux-filet, filet) sont aussi savoureux grillés au feu de bois avec des herbes de Provence que préparés en sauce. (Les touristes étrangers noteront qu'en France, on aime la viande plutôt saignante.)

Grande spécialité provençale, l'agneau est particulière-ment succulent au printemps. Nous vous recommandons le *gigot à la provençale* et les *côtes d'agneau grillées aux herbes* qui figurent fréquemment au menu. Les *brochettes* sont bonnes, mais tout dépend évidemment de la qualité de la viande choisie.

La *daube de bœuf* est particulièrement savoureuse dans la région niçoise. Avec sa sauce au vin et aux champignons, elle peut être mémorable, surtout si elle est servie avec des pâtes fraîches. L'*estouffade* se distingue de la daube par la présence dans la sauce d'olives noires du pays.

Sous l'influence de l'Italie voisine, le veau tient une belle place dans la gastronomie locale. Ainsi, les *escalopes milanaises* figurent souvent au menu. Quant aux *alouettes sans têtes*, il s'agit tout bonnement de paupiettes de veau.

Vous n'aimez pas les tripes ? Vous changerez d'avis après avoir goûté des *tripes niçoises*, un plat noble, amoureusement mitonné, où se marient huile d'olive, vin blanc, tomate, oignon, ail et herbes.

Spécialité marseillaise, les *pieds et paquets* mêlent des pattes et des tripes d'agneau, mijotées dans du vin blanc, avec jambon, carottes en rondelles, oignon, ail et parfois tomate. **95**

Vous aimerez également le *poulet rôti aux herbes*, ainsi que le *poulet niçoise*, fricassé au vin blanc, avec bouillon, herbes, tomate, olives noires. Souvent aussi moelleux que le poulet, le lapin vous sera servi ici nappé d'une sauce moutarde ou à la provençale.

Il y a des chances pour qu'à la saison de la chasse, le perdreau, le pigeon ou la caille (souvent servis avec une sauce au raisin), le lièvre, le sanglier ou le marcassin figurent au menu.

Pâtes et légumes

L'influence italienne, puissante autour de Nice et de Menton, s'estompe progressivement vers l'ouest. On vous proposera d'excellentes pâtes (ravioli, canelloni, fettuccine, lasagne), qui valent bien les meilleures spécialités italiennes.

Mais ce sont ses légumes frais qui font la gloire du Midi. Vous connaissez déjà la *ratatouille*, mélange de tomates, oignons, aubergines, courgettes et poivrons verts. Chaude ou froide, elle constitue pour ainsi dire un repas à elle seule. Vous savourerez aussi les aubergines, les courgettes et les tomates farcies, parfumées aux herbes de Provence.

Les asperges, servies chaudes (avec du beurre fondu ou une sauce hollandaise) ou froides (en vinaigrette) sont exquises. Les artichauts s'accommodent des mêmes préparations. Les *artichauts à la barigoule*, toutefois, sont farcis avec du jambon, de l'oignon, de la mie de pain et du persil.

Fromages et desserts

Vous trouverez bien entendu dans le Midi, sinon tous les fromages de France (il y en a autant que de jours dans l'année!), du moins les «classiques». Mais que cela ne vous empêche pas d'essayer de quelques fromages locaux, de chèvre ou de brebis: *banon, tomme de Sospel, brousse de la Vésubie, cabécou* ou *poivre d'âne*.

Pour le dessert, rien ne saurait rivaliser, en saison, avec les fruits de la région. Vous savourerez, d'avril à octobre, des fraises superbes, nappées de crème fraîche. Quant aux melons de Cavaillon, leur réputation n'est plus à faire. Figues et pêches sont également savoureuses. Les glaces, surtout les sorbets aux fruits, vous plairont. Il convient de signaler, par ailleurs, d'excellentes pâtisseries: les *gaudes* (petits gâteaux saupoudrés de sucre), les *pignons* (croissants aux amandes et aux pignons), la *tarte tropézienne* (remplie de crème et nappée de sucre non raffiné) et, surtout, la célèbre *tourte de Bléa* (tarte aux blettes, aux pignons et aux raisins secs).

Sur le pouce

Bien entendu, si, un midi, vous n'avez pas envie (ou pas le temps) d'aller au restaurant, vous pourrez toujours avaler, dans quelque café, un «confortable» sandwich (pâté, rillettes, jambon, saucisson ou fromage), avec quelques olives, un croque-monsieur ou encore une omelette.

Le *tian* est une sorte de tourte ou d'omelette fourrée, proposée chaude ou froide

Une galette frite (socca) *pour les affamés, dans le vieux Nice.*

dans la rue et parfois au restaurant. La «farce» est constituée d'ordinaire d'un mélange de crème à l'œuf et de légumes verts (épinards, par exemple).

Le *pan bagnat* est une spécialité niçoise très appréciée (surtout à la plage!). C'est un copieux sandwich dont les tranches de pain ont été «baignées» d'huile d'olive. Il est fourré de tomate et d'oignon en rondelles, d'anchois, d'olives et d'un œuf dur.

A mentionner également d'excellentes pizzas, d'une grande variété, de même que la *pissaladière*, savoureuse tarte à l'oignon, aux olives noires, aux anchois et, parfois, à la tomate.

Boissons et vins

Le café, dans les bars, est d'ordinaire assez bon. Mais, il est malheureusement difficile, à l'hôtel, le matin, d'obtenir autre chose qu'un «triste» café en pot.

Sur le chapitre de la bière, vous trouverez de bonnes «blondes» du Nord et de l'Est, et à l'occasion, des bières allemandes (chères). Mais il ne s'agit peut-être pas de la boisson idéale, sous le soleil généreux de la Provence.

En effet, la boisson méridionale par excellence, et pas seulement à l'apéritif, c'est le *pastis*, qu'il n'est plus besoin de présenter. Convenablement «baptisé», il étanche les grandes soifs estivales.

Vous trouverez, certes, du bordeaux ou du beaujolais dans les bons restaurants. Mais, pour votre consommation de tous les jours, pourquoi ne pas «tâter» des vins du pays: blancs, rouges et surtout rosés?

Les meilleurs crus régionaux bénéficient d'une *appellation contrôlée* (A.C.) qui en garantit, vous le savez, l'authenticité et la qualité. Ce label a été décerné à quatre secteurs: La Palette, Cassis, Bandol et Bellet.

La Palette, cru originaire de Meyreuil (près d'Aix), vient d'un pays dont l'odeur des pinèdes et des garrigues imprègne les vins, à ce qu'il paraît. Le Palette produit des rouges et des blancs (dont le plus remarquable est le *Château Simone*). Cassis propose un bon rouge, mais son blanc, légèrement fleuri, est un véritable nectar, particulièrement avec des coquillages.

Les vignobles de Bandol, près de Toulon, sont remarquablement situés. Ils donnent quelques blancs, ainsi que plusieurs rosés et rouges fruités, ces dernier étant spécialement bons (tâchez de trouver un *Domaine A. Tempier*). Les vignes de Bellet, accrochées aux pentes de la rive gauche du Var, fournissent des blancs, des rouges et des rosés choisis.

Enfin, les V.D.Q.S. *(vins délimités de qualité supérieure)*, placés plus bas dans la classification officielle, sont légion dans tout le Midi.

Un mini-guide des vins

Les blancs frais et légèrement fruités du pays constituent l'accompagnement idéal des poissons et coquillages. Mais ils manquent parfois de verdeur, en raison d'un ensoleillement trop généreux!

Le rosé est décrié par les «snobinards» qui lui reprochent d'être un médiocre compromis entre le blanc et le rouge. Mais, en Provence, c'est une autre affaire! Les connaisseurs eux-mêmes ne dédaignent pas un rosé bien frappé à l'apéritif ou pour arroser un repas (volailles et poissons en particulier). Et si les rosés

V.D.Q.S. sont dignes d'estime, le tavel et le lirac (produits près d'Avignon) sont spécialement fameux.

La couleur même du rosé est importante. Elle devrait aller du rose pâle au vermillon. Attention, une coloration orangée trahirait une oxydation prématurée.

Les rouges de Provence, enfin, sont en passe d'acquérir qualité et renom. Les zones d'appellation contrôlée produisent aujourd'hui des rouges honorables. Si certains demandent à être bus jeunes (et plutôt frais), d'autres mûrissent avec élégance. Le *Château Vignelaure*, au nord-est d'Aix, est un rouge excellent.

Ne soyez pas surpris par l'absence de tout millésime sur les étiquettes des vins de Provence. C'est qu'ils doivent, pour la plupart, être consommés jeunes (souvent même dans l'année) et qu'ils ne se bonifient guère en vieillissant.

BERLITZ-INFO

Comment y aller

PAR AIR

Vols réguliers

Au départ de la Belgique. Vous avez un à deux vols quotidiens – selon la saison – entre Bruxelles et Nice, en 1 h. 30 (ainsi que un à trois vols quotidiens directs pour Marseille, en 1 h. 35).

Au départ du Luxembourg. Luxembourg est relié une à trois fois par semaine à Nice, en 2 h. Pour Marseille, changez à Bruxelles.

Au départ du Canada. De Montréal à Nice, il existe de deux à six vols hebdomadaires avec escale à Londres (sans changement d'avion), en 9 h. environ. Vous pouvez aussi rallier Paris (il existe des vols quotidiens), avant de continuer sur Nice. Comptez entre 9 et 10 h. de voyage.

En France. Le réseau intérieur est excellent. Nice bénéficie de liaisons quotidiennes avec Paris, et très régulières avec Ajaccio, Bastia, Bordeaux, Calvi, Clermont, Lille, Marseille, Montpellier, Nantes, Strasbourg et Bâle/Mulhouse. Paris est aussi journellement relié à Marseille, à partir de laquelle des lignes desservent régulièrement Bastia, Bordeaux, Calvi, Clermont, Figari, Lille, Limoges, Nantes, Toulouse, Nice, Strasbourg et Bâle/Mulhouse.

Au départ de la Suisse romande. La liaison Genève–Nice est établie deux à quatre fois par jour en 1 h. environ. Par ailleurs, la ligne Genève–Marseille est desservie une ou deux fois par jour en 50 minutes environ.

Réductions. Faute de place, nous devons nous contenter ici de ne mentionner que les différents types de tarifs existants. Votre agent de voyages vous renseignera sur les conditions à observer.

Au départ de la Belgique. Pour Nice ou Marseille, les Belges ont le choix entre les tarifs «excursion», PEX et APEX, tous trois valables 3 mois. Pour Nice, il existe encore le SUPER APEX, aussi valable 3 mois. *Au départ du Canada.* Les tarifs «excursion» (valable 6 mois), APEX et SUPER APEX (valables de 7 jours à 3 mois) ainsi que SUPER APEX pour les jeunes de moins de 22 ans (valable de 7 jours à un an) sont toutes les possibilités qui vous sont proposées. *Au départ du Luxembourg.* Pour rallier Marseille, vous ne bénéficiez que du tarif «excursion». Pour Nice, outre le tarif précité, il existe les tarifs PEX et APEX. Tous sont valables 3 mois. *Au départ de la Suisse romande.* A destination de Marseille, vous avez le choix entre le tarif «excursion» (valable 3 mois), le tarif PEX (valable 3 mois) et le tarif PEX WEEK-END (valable 15 jours). Pour Nice, vous choisirez entre le tarif «excursion» et le tarif PEX. Enfin, un tarif «Senior» est accordé aux personnes du troisième âge sur les deux destinations.

Pour la plupart de ces tarifs, les bébés bénéficient d'une réduction de 90% et les enfants de 2 à 12 ans de 50%. A partir de 6 personnes les groupes obtiennent aussi des réductions.

En France sur les vols intérieurs. Air-Inter a mis sur pied trois types de vols : rouges, blancs, bleus. Des réductions sont accordées dans certains cas, en particulier sur les vols blancs ou bleus. Ainsi, les bébés bénéficient de la gratuité jusqu'à l'âge de 2 ans ; des réductions sont consenties aux enfants (2–12 ans), aux jeunes (12–25 ans) et aux étudiants (25–27 ans). Les familles voyageront à prix réduit sur vols bleus (minimum 3 personnes) et sur vols blancs (minimum 2 personnes), de même que le conjoint (sur vols bleus uniquement). Les groupes paient moins cher sur vols bleus (10 personnes au minimum) et sur vols blancs (5 personnes au minimum). Enfin, les personnes âgées (60 ans pour les dames, 65 pour les messieurs) ont aussi droit à une réduction.

Des vols charter aux voyages organisés

Les touristes canadiens noteront que de nombreux vols charter desservent Paris (et d'autres capitales européennes). De Paris, ils n'auront aucun problème à rallier Nice ou Marseille.

La formule du *tour «tout compris»* (vol + transfert + hôtel + éventuellement circuit) est également intéressante. Certaines compagnies aériennes proposent par ailleurs des voyages *Fly-Drive* (vol régulier, voiture à l'arrivée).

PAR FER

Au départ de Bruxelles. Le *Flandres-Riviera* rallie Vintimille *via* Marseille, Cannes, Antibes, Nice, Monaco et Menton.

En France. Le *TGV* relie Paris à Nice. De Genève, le *Rhodanien* descend jusqu'à Marseille. Parmi les rapides de nuit, le prestigieux *Train Bleu* (voitures-lits et couchettes) et le *Paris–Côte d'Azur* qui aboutit à Vintimille. L'*Esterel*, lui, s'arrête à Nice. Le *Phocéen*, enfin, assure une liaison nocturne Paris–Marseille.

Au départ de la Suisse romande. Genève est relié à Nice *via* Marseille par un train de nuit et un train de jour. En été, pourquoi ne pas rallier Grenoble, Digne et, de là, Nice par l'*Alpazur* (animation, musique et commentaires pendant le voyage).

Trains Autos Couchettes ou *Services Auto Express.* Paris–Toulon/Fréjus (Saint-Raphaël)/Nice par le *Méditerranée-Express;* Bordeaux–Marseille, Boulogne–Fréjus (Saint-Raphaël), Bruxelles (Schaerbeek)–Fréjus (Saint-Raphaël), Liège (Bressoux)–Fréjus (Saint-Raphaël), Metz–Saint-Raphaël, Strasbourg–Marseille ou Fréjus.

Les cartes *Eurailpass* et *Eurail Youthpass* (touristes non européens), et *Inter-Rail* ou *BIJ* (jeunes jusqu'à 26 ans) et *Rail Europ Senior* (personnes du troisième âge) sont valables en France. Renseignez-vous au sujet des forfaits *train + hôtel* à destination de la Côte d'Azur, car ils sont intéressants, et des billets *touristique* ou *de famille*.

PAR ROUTE

Au départ de Bruxelles. Deux solutions. Avec la première, vous ne quittez pas l'autoroute : par Paris, Lyon, Aix-en-Provence, vous gagnez Fréjus (1170 km), Cannes (1205 km), Nice (1240 km environ). Avec la seconde, vous évitez Paris : par Reims, vous atteignez Auxerre et l'autoroute A6. Et vous gagnez Fréjus (960 km), Cannes (995 km), Nice (1030 km environ).

Au départ de Paris. Vous empruntez les autoroutes A6/A7/A8. Par Lyon, Orange, Aix-en-Provence, vous atteignez Fréjus (870 km), Cannes (905 km), Nice (940 km environ).

Au départ de Genève. Par la N201 et les divers tronçons de l'autoroute A41, vous gagnez Grenoble. Vous opterez alors pour la *route des Alpes* (par le col de la Croix-Haute) ou pour la *route Napoléon* (par Gap). Ces deux itinéraires, sensiblement égaux, confluent à Sisteron, d'où vous atteignez Digne et Nice (500 km environ).

Services d'autocars: Bruxelles–Nice–Menton ; Paris–Nice par Lyon et Avignon ou par Lyon et Sisteron ; Genève–Nice.

Quand y aller

En juillet et août, la chaleur, bien que tempérée par la mer, est assez élevée. Le beau temps n'est troublé que par quelques orages. Si vous le pouvez, voyagez hors saison, par exemple en mai–juin ou en septembre : vous jouirez alors d'une température très agréable et vous échapperez à la cohue. De fin octobre à avril, le temps est fréquemment pluvieux et venteux, mais avec des journées étonnamment tièdes, surtout de Nice à Menton. Les journées de «froidure» sont rares.

	J	F	M	A	M	J	J	A	S	O	N	D
Température de l'air	9	9	11	13	17	20	23	22	20	17	12	9
Température de l'eau	13	13	13	15	17	21	24	25	23	20	17	14

Les chiffres ci-dessus expriment des moyennes mensuelles.

Faits et chiffres

Géographie Avec ses 547 000 km², la France est le plus vaste pays d'Europe occidentale. Elle est limitée par la Belgique, le Luxembourg, l'Allemagne (RFA), la Suisse, l'Italie et l'Espagne. Ses frontières maritimes sont marquées par la mer du Nord, la Manche, l'océan Atlantique et la Méditerranée, ce qui frange le pays de 3200 km. de côtes. Le pays est arrosé par quatre grands fleuves: la Seine, la Loire, la Garonne et le Rhône. A l'embouchure de ces quatre fleuves se sont développés quatre grands ports: Le Havre, Nantes, Bordeaux et Marseille. Le plus haut sommet du pays, enfin, est le mont Blanc (4807 m.).

Population 55 millions d'habitants, dont 4,5 millions d'étrangers; 80% de la population vit en zones urbaines. Densité: 100 hab./km² environ.

Villes principales Paris (2,3 millions d'habitants; région parisienne: 9 millions). Marseille (900 000 habitants). Lyon (450 000 habitants). Toulouse (350 000 habitants). Strasbourg (250 000 habitants).

Gouvernement République, démocratie au pouvoir centralisé, à la tête de laquelle se tient le président de la République, élu au suffrage universel direct pour une durée de sept ans. Le Parlement est formé de deux chambres: l'Assemblée nationale et le Sénat. Le pays est constitué de 95 départements, plus 4 départements d'outre-mer.

Economie La France est l'une des grandes puissances industrielles du monde: métallurgie, industries mécaniques, construction navale, industries agricoles, matériel électrique et électronique, aéronautique, télécommunications.

Religion Catholique à 90%.

Langue Le français.

Côte d'Azur La Côte d'Azur forme avec la Provence une région administrative qui englobe six départements. La Côte d'Azur en réunit deux: les Alpes-Maritimes (4298 km²) et le Var (6023 km²). Nice (360 000 hab.) est la préfecture des Alpes-Maritimes, tandis que Toulon (186 000 hab. environ), premier port français en Méditerranée, est la préfecture du Var.

Pour équilibrer votre budget...

Ci-dessous, nous vous donnons quelques exemples de prix moyens, exprimés en francs français (F.), en vigueur sur la Côte. Compte tenu de l'inflation, cette liste n'a qu'une valeur indicative.

Auberges de jeunesse. 40–60 F.

Camping (par nuit, pour quatre personnes). 80–105 F. avec tente, 90–115 F. avec caravane.

Cigarettes, cigares. Marques françaises 6–8 F. le paquet de 20, marques étrangères 10–12 F., cigares 20–50 F. la pièce.

Coiffeurs. *Dames:* coupe à partir de 90 F., brushing ou shampooing et mise en plis à partir de 100 F., manucure à partir de 60 F. *Messieurs:* coupe 80–200 F.

Distractions. Cinéma 40–45 F., discothèque 100–120 F. l'entrée, casino 50–55 F. l'entrée, cabaret 120–400 F.

Gardes d'enfants. 50–60 F. l'heure, 250–300 F. la journée.

Guides. 500–600 F. la demi-journée, 750–850 F. la journée.

Hôtels (chambre double). ****L 1500–2500 F., **** 850–1200 F., *** 550–650 F., ** 200–400 F., * 120–350 F.

Location de bateaux. Canot à moteur 1100–1500 F. par jour, voilier (taille moyenne) 2500–3000 F. par jour.

Location de bicyclettes et de cyclomoteurs. Bicyclette 70–80 F. par jour, cyclomoteur 90–100 F. par jour. Dépôt minimum 800 F.

Location de voitures. *Renault Super 5 GL:* 350 F. par jour, 1802 F. par semaine avec kilométrage illimité. *Renault 19:* 523 F. par jour, 2772 F. par semaine avec kilométrage illimité. *Renault 25 TX:* 872 F. par jour, 4433 F. par semaine avec kilométrage illimité. Taxe incluse.

Musées. 5–40 F. (beaucoup sont gratuits).

Repas et boissons. Café complet 25–50 F., menu touristique 80–120 F., déjeuner/dîner (dans un bon établissement) 150–400 F., café 4,50–10 F., whisky ou cocktail 25–60 F., bière ou sodas 12–20 F., cognac 30–80 F., vin (la bouteille) à partir de 50 F.

Sports. Planche à voile 50–100 F. l'heure environ, ski nautique (15 minutes) 100 F., tennis 70 F. l'heure sur un court, golf 250 F. par jour.

Informations pratiques classées de A à Z pour un voyage agréable

Ce qui semblera évident aux Français ne l'est pas toujours aux étrangers, même francophones.

A **AÉROPORTS.** L'aéroport international Nice-Côte d'Azur, à 7 km. du centre-ville, est desservi par une vingtaine de compagnies aériennes opérant des liaisons directes avec plus de quarante pays. Son aménagement comprend un bureau de change, des bars et des restaurants, un bureau de poste, une agence de location de voitures, des boutiques de souvenirs et des magasins vendant des produits hors taxes. Un service d'autocars, dépendant d'une compagnie aérienne, relie l'aéroport à Nice toutes les 20 minutes; une autre ligne de cars quitte l'aéroport à destination de Cannes, *via* Antibes et Juan-les-Pins. Signalons encore qu'il existe une liaison par hélicoptère jusqu'à Monaco.

L'aéroport de Marseille-Provence est également relié par des vols directs à de nombreuses villes françaises, à la Corse ainsi qu'aux principales villes d'Europe et d'Afrique du Nord.

ANIMAUX DOMESTIQUES et VÉTÉRINAIRES. Les touristes étrangers qui ont l'intention d'emmener en France leur chien ou leur chat, doivent se munir, pour leur animal, d'un certificat de vaccination antirabique et de bonne santé.

ARGENT

Monnaie. Pour les questions de contrôle des changes, voir aussi DOUANE ET FORMALITÉS D'ENTRÉE. Nombreux sont les Français qui comptent encore en anciens francs. Et pourtant, le nouveau franc – égal à 100 anciens francs – a été introduit voilà vingt ans! Dans les magasins, toutefois, les prix s'entendent toujours en nouveaux francs.

L'unité monétaire est le franc (abrégé F. ou FF.), divisé en 100 centimes (ct.). Les pièces les plus courantes sont celles de 1, 2, 5 et 10 F., de 5, 10, 20 et 50 cts. On utilise aussi des billets de 20, 50, 100, 200 et 500 F.

Horaires des banques. Les horaires sont variables, mais la plupart des banques ouvrent de 9 h. à 11 h. 30 et de 13 h. 30 à 17 h. du lundi au vendredi. Certains bureaux de change sont également ouverts le samedi.

A Monte-Carlo, le «change» sis en face du Casino ouvre tous les jours.

Si, dans les hôtels, on accepte généralement de changer vos devises et vos chèques de voyage contre des francs français, le taux n'est guère favorable. Même situation dans les magasins et les casinos où les traveller's checks sont souvent honorés. N'oubliez pas de vous munir de votre passeport pour ce genre de transaction.

Cartes de crédit. La plupart des hôtels, des restaurants élégants, certaines boutiques et agences de location de voitures, ainsi que différents commerces liés au tourisme dans les villes et les stations, acceptent les cartes les plus courantes.

Chèques de voyages et eurochèques. Les traveller's checks sont acceptés dans les hôtels, les agences de voyages et dans de nombreux magasins. Cependant, le taux de change y est invariablement moins favorable que dans les banques. Les eurochèques sont également honorés.

Pensez, là aussi, à prendre vos papiers. On vous les demandera.

Prix. Bien sûr, la vie est généralement chère sur la Côte, mais il est en réalité tout à fait possible de ne pas se ruiner si l'on fait preuve de perspicacité. (Ainsi, plus on s'éloigne du littoral et plus on a des chances de dénicher des hôtels et des restaurants appliquant des prix corrects.)

Dans les établissements publics (cafés, bars, restaurants, hôtels), les prix sont toujours affichés en bonne et due place. En principe, le service est inclus dans les prix annoncés.

Taxe à la Valeur Ajoutée (TVA). Les personnes résidant à l'étranger sont exemptées de cette taxe sur les ventes au détail. A condition, toutefois, d'effectuer dans un même magasin des achats dont la valeur globale est au moins égale à 1200 F. (pays non membres de la CEE) ou dont la valeur unitaire est de 2800 F. pour les résidents d'un pays du Marché Commun. Il suffit, pour obtenir la rétrocession de la TVA après exportation, de se faire établir une facture en plusieurs exemplaires.

A la frontière, remettez les formulaires au douanier français (gardez un double), qui se chargera de les renvoyer estampillés au magasin. La TVA vous sera remboursée dans les semaines qui suivent.

Si vous désirez faire expédier la marchandise directement chez vous ou à votre port d'embarquement, le montant équivalant à la TVA sera immédiatement déduit de la somme à payer.

ARTISANAT LOCAL. Ceux que les ressources très particulières de la région intéressent pourront visiter gratuitement un certain nombre d'établissements spécialisés.

A   A Grasse, par exemple, plusieurs parfumeries organisent des visites guidées de leurs locaux où l'on peut assister à la distillation des parfums. Les amateurs de sucreries (fruits confits, fleurs cristallisées, etc.) iront dans l'une ou l'autre des confiseries de Nice. A Nice, encore, vous pourrez suivre – dans un moulin – le processus de fabrication à l'ancienne de l'huile d'olive.

Les amateurs de céramique, de poterie et d'émaux se rendront à Biot ou à Vallauris. Pour tout renseignement, voyez l'Office du Tourisme.

AUBERGES DE JEUNESSE. Il existe de nombreuses auberges de jeunesse dans toute la région Provence–Côte d'Azur. On peut en obtenir la liste et les adresses à la:

Boutique des AJ, 126, rue d'Aubagne, 13006 Marseille, tél. 91.42.94.29.

A moins que vous ne possédiez déjà le *Guide européen,* bien documenté (en vente en librairie).

En haute saison, les auberges sont très fréquentées et il est recommandé de réserver. Elles accueillent les jeunes (à partir de 14 ans), mais aussi les adultes (couples, familles, célibataires) sans restriction d'âge. Chacun, toutefois, doit être muni d'une carte d'une fédération affiliée. En haute saison, la durée du séjour est limitée à trois nuits.

AUTO-STOP. Une pratique autorisée sur toutes les routes de France, à l'exception des autoroutes. Elle est très largement répandue au moment des vacances d'été. La concurrence est si grande, en particulier le long des grands axes (par exemple: Paris–Méditerranée), que les stoppeurs risquent d'attendre fort longtemps. Il est vivement recommandé aux jeunes filles de voyager à deux.

B   **BLANCHISSERIE et TEINTURERIE.** On voit encore, dans le Midi, des lavandières battre leur linge sur la batte de quelque lavoir municipal. Mais, comme le progrès gagne du terrain là comme ailleurs, c'est un spectacle pittoresque qui se fait rare. Cela dit, si votre hôtel ne dispose pas du service adéquat, vous pouvez toujours porter vos vêtements dans une blanchisserie ou chez un spécialiste du nettoyage à sec: le service est rapide et bon marché. Mais, évidemment, pour un travail impeccable, il faut être moins pressé, et c'est plus cher.

C   **CAMPING et CARAVANING.** Le camping est extrêmement populaire et très bien organisé dans le Midi. On recense en effet plus de 300 camps officiellement reconnus dans les Alpes-Maritimes et le Var, la plupart d'entre eux alliant le pittoresque du site au confort de l'équipement. Ces camps sont classés de 1 à 4 étoiles en fonction de leur aménagement.

Le panonceau «Camping interdit» est assez explicite, et vous n'avez pas intérêt à l'ignorer. Bien sûr, libre à vous d'essayer d'obtenir de quelque propriétaire l'autorisation de planter votre tente chez lui... mais vos chances sont plutôt minces!

Vous pourrez obtenir d'excellentes brochures, telles que *Camping– Côte d'Azur* (de Menton à Cannes), auprès de la représentation dans votre pays du Service officiel français de tourisme à l'étranger (ou Maison de la France; voir OFFICES DE TOURISME). Les Français s'adresseront directement à l':

Office du Tourisme et des Congrès de Paris, 127, Champs-Elysées, 75008 Paris; tél. (1) 47.23.61.72.

Sur place, vous pouvez aussi vous adresser à l':

ARTL, Conseil régional PACA CMCI, 2, rue Henri-Barbusse, 13241 Marseille Cedex 1; tél. 91.08.62.90.

Cet organisme vous conseillera et vous fournira une liste des campings et des hôtels de la région Provence–Alpes–Côte d'Azur.

Un conseil, enfin: il est important de réserver votre emplacement à l'avance, en été, même pour une ou deux nuits. A moins que vous ne campiez à l'intérieur des terres, ne serait-ce qu'à quelques kilomètres de la mer.

CARTES et PLANS. Il existe un vaste choix de cartes routières détaillées et, pour les amoureux de la précision, d'excellentes cartes topographiques de l'Institut Géographique National (I.G.N.) en courbes de niveau, à diverses échelles. Pour la région, les cartes Michelin n° 81, 84 et 195 vous seront particulièrement utiles. Par ailleurs, les stations-service offrent des cartes régionales, ainsi qu'une carte de France avec indication des itinéraires de délestage (itinéraires bis ou verts; voir aussi CONDUIRE EN FRANCE). Signalons également que Falk-Verlag, à Hambourg, qui a préparé la cartographie du présent guide, a publié une carte routière de France. Quant aux plans de villes, vous vous les procurerez (gratuitement) auprès des Syndicats d'Initiative.

CIGARETTES, CIGARES, TABAC. L'herbe à Nicot fait l'objet en France – les étrangers l'ignorent souvent – d'un monopole d'Etat. Aussi ne peut-on se fournir que dans un débit de tabac officiel. Les innombrables tabacs, bars ou cafés-tabacs sont signalés par une «carotte»: une enseigne rouge en forme de double cône.

C **COIFFEURS.** Voir aussi Pourboires. Les prix varient beaucoup. Tout dépend de la classe de l'établissement. A noter que ces prix sont obligatoirement affichés dans la boutique et que, dans la plupart des salons, le service est compris; mais il est d'usage de donner la pièce à la personne qui s'est occupée de votre shampooing ainsi qu'à celle qui vous a coiffé.

CONDUIRE EN FRANCE
(Cette rubrique s'adresse évidemment aux automobilistes étrangers.)

A la frontière: pour entrer en France avec votre véhicule, vous devez présenter les documents suivants:

- un permis de conduire valable
- le certificat d'immatriculation du véhicule
- une assurance (la carte verte n'est plus obligatoire, mais une assurance tous risques est fortement recommandée)
- un indicateur de nationalité (autocollant)
- un triangle de panne et des ampoules de rechange

Le port de la ceinture de sécurité est obligatoire pour le conducteur et le passager avant, en ville comme à la campagne. Les enfants de moins de 10 ans n'ont pas le droit de prendre place à l'avant. En France, il est interdit de conduire avec un permis d'élève conducteur à moins d'être accompagné du conducteur responsable du véhicule, de pouvoir justifier de 20 heures de cours d'auto-école et d'avoir passé l'examen du code de la route.

Règles de conduite. Ces règles sont conformes à la pratique européenne. Sauf indication contraire, la priorité de droite prévaut partout; dans les ronds-points, toutefois, le véhicule qui y pénètre doit donner la priorité aux automobilistes venant de la gauche.

La vitesse est limitée à 45 ou à 60 km/h. dans les agglomérations (c'est-à-dire dès que vous avez franchi le panneau indiquant le nom de la ville), à 90 km/h. sur route, à 110 km/h. sur pistes à double voie et à 130 km/h. sur autoroute.

Le style de conduite... à la française risque fort de vous affoler quelque peu! En effet, les «Français au volant» roulent vite et se lancent dans des dépassements téméraires. Pensez à maintenir une distance respectueuse entre votre véhicule et celui qui précède.

Un mot encore sur les nouveaux règlements de répression de l'ivresse au volant: en raison du nombre croissant d'accidents dus à la conduite en état d'ivresse, la gendarmerie peut désormais faire des contrôles impromptus à la sortie des cafés et restaurants et amender les personnes **110** s'apprêtant à prendre le volant après avoir bu plus que de raison.

Le réseau routier. Les routes sont classées en autoroutes (A), nationales (N), départementales (D) et chemins vicinaux (V). L'état des chaussées a été grandement amélioré, ces dernières années. Les nationales sont bonnes, mais souvent trop étroites, hélas. Et cela se vérifie plus particulièrement aux périodes de l'année où toute la France est sur les routes, autour du 1er et du 14 juillet, du 1er et du 15 août, du 1er septembre. Sans parler de Pâques, du 1er mai et même du 1er ct du 11 novembre. En effet, si l'étalement des vacances a du mal à s'imposer, la tendance est, en France comme ailleurs, à la multiplication des «ponts».

Quant aux autoroutes, elles sont excellentes et «roulantes». Elles ont été et sont encore construites par des sociétés privées qui perçoivent, sauf sur certains secteurs urbains ou suburbains, un péage proportionnel à la cylindrée du véhicule et à la distance parcourue. Les autoroutes bénéficient d'un équipement complet : stations-service, restaurants, cafeterias, toilettes, boutiques, etc. Des téléphones d'urgence (SOS, de couleur orange), sont disposés tous les deux kilomètres.

De nombreux touristes préfèrent emprunter, toutefois, les routes secondaires où la circulation est faible (vous pourrez ainsi conduire «à votre main»), et au fil desquelles les paysages sont plus intéressants. Par ailleurs, vous trouverez parfois des itinéraires de délestage («itinéraires bis» ou «émeraude»), reconnaissables aux flèches... vert émeraude qui les jalonnent.

En période de pointe, la gendarmerie distribue gratuitement aux frontières des cartes indiquant ces fameux itinéraires. Il est judicieux de s'y conformer.

Stationnement. Généralement, le centre des villes est bien pourvu en parcmètres. Si vous vous garez en zone bleue, munissez-vous d'un disque de stationnement, dispensé par les stations-service, les postes de police, les papeteries, les hôtels et les offices de tourisme. Il existe aussi des zones à stationnement payant où l'on achète un ticket à un distributeur automatique. Enfin, dans certaines rues, le stationnement est autorisé soit d'un côté soit de l'autre de la chaussée selon un horaire bimensuel indiqué sur des panneaux.

Pannes. Le remorquage ou l'intervention sur-le-champ peut être effectué par un des garages du coin. Les pièces de rechange sont disponibles rapidement – sinon immédiatement –, en ce qui concerne, au moins, les marques européennes et japonaises. Mais il est prudent de contracter avant le départ une «assurance réparations» internationale (livret d'entraide, etc.), et de demander un devis écrit détaillé avant toute réparation.

111

C **Police de la route.** Les hommes de la Gendarmerie mobile patrouillent à bord de voitures, de camionnettes et sur de puissantes motos. Se déplaçant toujours par deux, ils sont courtois et obligeants, mais se montrent intransigeants en cas d'infraction. Ajoutons que les «anges de la route» ont toute autorité pour infliger une amende (payable sur-le-champ) ou saisir un permis.

Essence et huile. On trouve de la «super» (98 octanes), de la «normale» (90 octanes), de l'essence sans plomb (95 octanes) et du Diesel.

Il est d'usage de laisser un pourboire au pompiste s'il lave le pare-brise ou contrôle les niveaux.

CONSULATS. Au cas où vous seriez confronté à des problèmes graves, tels que perte de votre passeport, ennuis avec la police ou accident sérieux, prenez contact avec votre consulat.

Consulat de Belgique:	Les Bureaux du Ruhl, 7e étage, rue Gabriel Fauré, 06000 Nice; tél. 93.87.79.56.
Consulat du Canada:	Edifice Bonnel Par-Dieu, coin Bonnel Garibaldi, 74, rue de Bonnel, 3e étage, 69003 Lyon; tél. 72.61.15.25.
Consulat de Suisse:	4, avenue Georges Clemenceau, 06000 Nice; tél. 93.88.85.09.

COURANT ÉLECTRIQUE. L'usage du 220 V 50 Hz et aujourd'hui totalement généralisé.

CURES THERMALES. La Côte d'Azur est depuis longtemps le lieu privilégié des touristes à la recherche d'un climat sain et vivifiant. Outre le soleil et la clémence de ses hivers, la Provence a l'avantage d'être dotée de quelques stations de cure thermale: Aix-en-Provence, Camoins-les-Bains, Digne-les-Bains, Gréoux-les-Bains, Hyères. Il existe, par ailleurs, des centres de thalassothérapie à Marseille, Saint-Raphaël, Toulon et La Ciotat. Que les curistes se rassurent. Ils pourront allier le plaisir des vacances à la rigueur d'un traitement bienfaisant.

D **DÉCALAGE HORAIRE.** En France, l'heure est de GMT + 1 (ou TU + 1), mais, lorsque l'horaire d'été est en vigueur, de fin avril à fin septembre, les Français avancent leur montre d'une heure. Ainsi, en été, quand il est midi à Nice, à Bruxelles et à Genève, il est 11 h. à Alger et à Tunis et 6 h. à Montréal.

DOUANE et FORMALITÉS D'ENTRÉE. Les ressortissants des pays de la CEE, de même que les Suisses, présenteront un passeport dont la date d'expiration n'excède pas cinq ans ou une carte d'identité valable. Les Canadiens, eux, montreront un passeport valable.

Européens et Américains ne sont soumis à aucune exigence particulière dans le domaine de la santé. Les ressortissants d'autres pays ou continents se renseigneront auprès du consulat de France local.

Le tableau ci-dessous indique ce que vous avez droit d'importer en France et d'exporter dans votre pays:

Entrée en :	Cigarettes	Cigares	Tabac	Alcool	Vin
France					
1)	200 ou	50	ou 250 g.	1 l. et	2 l.
2)	300 ou	75	ou 400 g.	1½ l. et	5 l.
3)	400 ou	100	ou 500 g.	1 l. et	2 l.
Canada	200 et	50	et 900 g.	1,1 l. ou	1,1 l.
Belgique Luxembourg Suisse	200 ou	50	ou 250 g.	1 l. et	2 l.

1) visiteur en provenance d'un pays européen non inclus dans la CEE ou d'un pays de la CEE avec des marchandises achetées en franchise
2) visiteur en provenance d'un pays inclus dans la CEE avec des marchandises qui n'ont pas été achetées hors taxes
3) ressortissants d'un pays non européen

Prescriptions monétaires. Il n'existe aucune limite à l'importation de francs français, de devises étrangères ou de chèques de voyage. Les sommes excédant 50 000 francs ou leur équivalent doivent être déclarées à l'entrée et à la sortie du pays.

DROGUE. La possession, l'usage et le trafic de drogue tombent sous le coup de la loi. Les contrevenants sont punis de peines de prison généralement très rigoureuses.

EAU. L'eau du robinet est potable partout. Si, par extraordinaire, tel n'était pas le cas, mention en serait faite. La France apparaît par ailleurs comme le pays de l'eau minérale par excellence. Vous aurez le choix, et

E nous nous adressons là bien évidemment aux touristes étrangers, entre des eaux plates comme Vittel, Contrexéville et Evian, ou gazeuses comme Vichy, Badoit et Perrier. Ces eaux sont en vente dans toute la France.

F **FLORE.** Le climat particulier de la Provence méditerranéenne est propice au développement d'une flore d'une grande richesse.

Parmi les arbres, vous remarquerez l'olivier et le chêne-liège, diverses variétés du pin (pin parasol, pin maritime) et les cyprès qui protègent les cultures du vent.

Dans les garrigues et les maquis, deux arbustes caractérisent le paysage : le lentisque, dont on extrait le mastic, et le pistachier qui, bien évidemment, porte des pistaches.

Le long de la côte, la flore prend un caractère nettement africain, avec plusieurs sortes de palmiers, le cactus, l'agave, l'aloès et le figuier de Barbarie.

Et puis, il y a la lavande, le mimosa, le jasmin, la rose et la violette que l'on cultive pour le plaisir des yeux ou pour en extraire essences et parfums.

Pour vous faire une idée plus précise de cet éventail merveilleux, allez vous promener dans le Jardin exotique de Monaco qui vous réservera d'autres surprises.

G **GARDES D'ENFANTS.** Il existe un service *ad hoc* dans chaque centre important : voyez à cet égard les journaux du coin ! Si vous êtes à l'hôtel, le plus simple est de demander au réceptionnaire de vous trouver une garde, ou encore de prier une femme de chambre de jeter un coup d'œil sur vos enfants de temps en temps.

GUIDES. Voir aussi Offices de Tourisme et Syndicats d'Initiative et Pourboires. L'Office de Tourisme ou le Syndicat d'Initiative peut vous fournir un guide compétent pour toute visite accompagnée. Sachez qu'il est d'usage d'offrir le déjeuner au guide que vous engagez pour la journée.

Des circuits en autocar sont organisés à partir de Nice et de Cannes.

H **HABILLEMENT.** Comme le temps, sur la Côte, est généralement beau et chaud de mai à octobre, des vêtements légers feront parfaitement l'affaire. Par ailleurs, emportez donc une bonne jaquette et un châle (ou une veste et un foulard), en prévision des soirées fraîches. En hiver, prévoyez une tenue demi-saison, un imperméable ainsi qu'un manteau **114** léger.

La Riviera est le carrefour de toutes les modes, mais chaque station a son code! Ainsi, le bronzage intégral est toléré sur certaines plages (en particulier dans la région de Saint-Tropez et à l'île du Levant). Quant au bronzage «seins nus», il est autorisé un peu partout.

Le soir, une tenue correcte est exigée dans les casinos et autres endroits chic; veston et cravate pour les messieurs et robe habillée (ou pantalon) pour les dames. Assurez-vous, avant d'entrer dans une église, de la décence de votre mise. Toutefois, les dames ne sont plus tenues de se couvrir la tête.

HÔTELS et LOGEMENT. Voir aussi Auberges de Jeunesse et Camping. La France offre un large éventail de possibilités, à même de satisfaire tous les goûts et toutes les bourses!

Les offices du tourisme, ainsi que les syndicats d'initiative, fournissent une liste des hôtels locaux. Attention: un établissement répertorié sous «Hôtel» seulement ne comprend pas obligatoirement un restaurant, cela surtout dans les grandes villes. Les bureaux «Accueil de France», dans les offices du tourisme urbains, se chargent d'effectuer, contre une modeste rétribution, vos réservations de chambres. De même, dans les principaux aéroports et gares ferroviaires, existe un service de réservation hôtelière.

Autres types de logement. Il existe différentes possibilités, depuis le «gîte» ou le «logis de France» relativement modeste jusqu'à l'établissement somptueux du style «château-hôtel» ou «relais de campagne», où les prix sont très élevés.

Locations. Les Syndicats d'Initiative sont en mesure de vous recommander des agences tenant une liste complète et à jour des appartements ou des villas libres. Mais attention! Il est bien difficile, à moins de s'y prendre suffisamment à l'avance, de trouver une location sur la Côte en pleine saison.

JOURNAUX et REVUES. Outre les quotidiens français d'audience nationale, les kiosques, les tabacs-journaux et les librairies vendent les grands quotidiens étrangers d'expression française. Ces journaux sont disponibles le jour même de leur publication ou le lendemain matin. Les principaux magazines français et internationaux sont également vendus aux endroits précités.

Pour vous tenir au courant des événements locaux et des informations régionales, lisez donc des quotidiens comme *Nice-Matin, Var-Matin, le Midi Libre, le Provençal.*

J JOURS FÉRIÉS

1er janvier	Jour de l'An
1er mai	Fête du Travail
8 mai	Fête de la Libération
14 juillet	Fête nationale
15 août	Assomption
1er novembre	Toussaint
11 novembre	Armistice
25 décembre	Noël
Fêtes mobiles :	Lundi de Pâques
	Ascension
	Lundi de Pentecôte

Il s'agit là des fêtes observées sur le plan national. Pour les fêtes locales, voir p. 81.

L LANGUE.

Nous n'avons certes pas la prétention de vous apprendre que les Méridionaux bon teint ont un «assent» chantant, savoureux et combien haut en couleur! Vous avez probablement en mémoire les scènes les plus pittoresques de l'immortelle «Trilogie» de Pagnol.

Ce que vous ne savez peut-être pas, en revanche, c'est que les gens du pays, au moins les personnes d'un certain âge, n'ont pas oublié le provençal de leur enfance, un parler parent de l'italien ou du corse, et dont il existe plusieurs variantes, toutes «gorgées de soleil», comme le niçois et le monégasque (voir aussi l'encadré de la p. 14).

LOCATION DE BICYCLETTES ET DE CYCLOMOTEURS.

Vous ne rencontrerez aucun problème sur la Côte pour louer un deux-roues. Nombre d'agences proposent des forfaits à la semaine ou au mois. On vous demandera sans aucun doute un dépôt.

L'âge minimal requis pour conduire un cyclomoteur (véhicule ne dépassant pas 50 cc) est de 14 ans, au-dessus de 50 cc jusqu'à 125 cc 16 ans, et pour une moto de plus de 125 cc 18 ans. Le port du casque est obligatoire. Votre hôtel ou le Syndicat d'Initiative vous indiquera l'agence la plus proche.

LOCATION DE VOITURES.

Si toutes les grandes agences nationales offrent des autos de marque française, vous ne trouverez qu'occasion-nellement des voitures étrangères. Les agences locales consentent en principe des conditions plus avantageuses que les sociétés internationa-

116

les; mais elles ne vous donneront généralement pas la possibilité de rendre le véhicule ailleurs que là où vous en avez pris possession.

Pour louer une voiture, il faut produire un permis de conduire valide, délivré depuis au moins une année, ainsi qu'un passeport (une carte d'identité suffit pour les Suisses et les ressortissants de pays membres du Marché commun). Certaines agences exigent que le conducteur ait 21 ans, et d'autres même 25 ans. Si vous êtes titulaire d'une carte de crédit reconnue, vous serez normalement exempté du dépôt de garantie. Sinon, on vous demandera une caution importante, caution qui vous sera remboursée ultérieurement, évidemment.

L'assurance au tiers est en principe automatiquement incluse et, moyennant un supplément, variable en fonction du modèle choisi, vous obtiendrez une assurance tous risques.

MINITEL. Il donne accès à tant de services utiles dans tous les domaines et son utilisation est si simple que les appareils ont envahi foyers et endroits publics (postes, hôtels, offices de tourisme, etc.). Les offices de tourisme remettent gratuitement aux intéressés une brochure intitulée *Passeport Tourisme Minitel,* bien utile à qui veut se servir de cet appareil.

OBJETS TROUVÉS. Interrogez d'abord le réceptionnaire de l'hôtel, puis, si votre problème n'est pas résolu, adressez-vous au commissariat de police ou à la gendarmerie la plus proche (voir POLICE).

Le personnel des cafés et des restaurants est généralement honnête: il conservera les objets oubliés jusqu'à ce que leur propriétaire vienne les réclamer; quant aux portefeuilles, ils sont remis directement à la police.

OFFICES DE TOURISME et SYNDICATS D'INITIATIVE. Il existe un Service officiel français de tourisme (ou Maison de la France) dans de nombreux pays. Son personnel, faut-il le souligner, est à votre disposition pour vous aider à préparer vos vacances. Il vous remettra une documentation très complète: dépliants et cartes en couleurs, prospectus variés. Voici donc les adresses de ces organismes dans quelques pays francophones:

Belgique: 21, avenue de la Toison d'Or, 1060 Bruxelles; tél. (2) 513.07.62.

Canada: 1981, avenue Mac Gill College, Tour Esso, Suite 490, Montréal QUE H3A 2W9; tél. (514) 288.42.64.

Suisse: 2, rue Thalberg, 1201 Genève; tél. (022) 732.86.10.

O A Paris, La Maison de la France – 8, av. de l'Opéra; tél (1) 42.96.10.23 – est à même de répondre à toutes questions concernant l'hébergement ou le camping. Mais, le plus simple est encore de se renseigner directement sur place. Adressez-vous à l'un ou l'autre des organismes suivants:

A Nice
Office du Tourisme, 5, avenue Gustave V; tél. 93.87.60.60.
Comité Régional du Tourisme Riviera-Côte d'Azur, 55, Promenade des Anglais; tél. 93.44.50.59.
Syndicat d'Initiative, gare centrale, avenue Thiers; tél. 93.87.07.07.
Office du Tourisme, près de l'aéroport, parking Ferber; tél. 93.83.32.64.

A Cannes
Office du Tourisme, place de la Gare, 1er étage (sortir de la gare et suivre à gauche les indications); tél. 93.99.19.77.
Office du Tourisme, Palais des Festivals et des Congrès, Esplanade Président Georges-Pompidou; tél. 93.39.24.53.

A Monaco
Direction du Tourisme et des Congrès, 2a boulevard des Moulins; accueil et renseignements: tél. 93.50.60.88.

A Marseille
Office Municipal du Tourisme, 4, La Canebière; tél. 91.54.91.11.

Signalons que les Syndicats d'Initiative – qui jouent le rôle de bureaux de tourisme locaux – constituent d'inestimables sources de renseignements. Ils ont pour mission et pour vocation de venir en aide aux touristes, et leur personnel, qui a réponse à tout, fournit libéralement dépliants, listes d'hôtels, plans et cartes. Il pourra vous procurer un guide et même, dans certains cas, vous faire du change.

Il y a d'habitude un «S.I.» (Syndicat d'Initiative) au centre de chaque ville. Dans les agglomérations importantes, il dispose en outre d'un guichet d'accueil à la gare. Dans les localités de moindre importance, le «S.I.» est logé dans la mairie.

Les heures d'ouverture varient, mais les Syndicats d'Initiative sont ouverts, en règle générale, de 8 h. 30 ou 9 h. à midi et de 14 h. à 18 h. voire 19 h. tous les jours sauf le dimanche.

P PÉRILS. En Provence, il est deux fléaux dont il faut tenir compte.
D'une part, le feu qui, malgré tout un système de prévention, ravage encore cette région. Faites donc très attention de ne pas jeter vos mégots ou une allumette enflammée hors de votre voiture et ne faites pas de feu en forêt. Il suffit d'un rien pour embraser toute une zone.

118

Et il y a d'autre part le mistral, qui occasionne des maux de tête à certains. C'est un vent qui se lève très brusquement et qui, si vous vous prélassez tranquillement en mer sur un matelas pneumatique, peut en quelques minutes vous entraîner au large sans que vous puissiez résister.

PHOTOGRAPHIE. Débauche de lumièrc, variété des paysages, palette des couleurs allant des teintes pastel les plus tendres aux tons les plus violents... la Côte est décidément le paradis des émules de Niepce ! Dans certains musées, au surplus, il est permis de photographier librement.

Vous trouverez toutes les grandes marques de films. Si vous tenez à un développement rapide, sachez qu'on vous demandera très cher.

POLICE. Précisons, à l'intention des touristes étrangers, qu'en France les grandes villes disposent d'une Police municipale dont les membres, en uniforme bleu, sont chargés du maintien de l'ordre et de la circulation. En dehors de ces villes, c'est la gendarmerie – les gendarmes portent pantalon bleu, tunique noire et ceinturon blanc – qui règle la circulation.

Les CRS (Compagnies Républicaines de Sécurité) constituent un corps national, directement sous l'autorité du ministre de l'Intérieur. Il est fait appel aux CRS en cas d'urgence et en certaines occasions comme les grands départs sur les routes. Ce sont eux aussi qui ont la charge de la sécurité sur les plages. Enfin, la Gendarmerie mobile et la Police de la Route ont pour mission de patrouiller le long des routes.

En cas d'urgence, où que vous soyez, composez le 17, le numéro de Police-Secours.

POSTES ET TÉLÉCOMMUNICATIONS

Bureaux de poste. Ils sont signalés par une enseigne portant un oiseau bleu stylisé et/ou l'inscription Postes et Télégraphes où, tout simplement, P&T.

Dans les villes, le bureau de poste principal cst ouvert de 8 h. à 17 h. du lundi au vendredi, et de 8 h. à midi le samedi. Dans les petites localités, la poste est ouverte de 8 h. 30 à midi et de 14 h. 30 à 17 ou 18 h. du lundi au vendredi, de 8 h. à midi le samedi.

Précisons, pour l'édification des touristes étrangers, que les postes françaises ne limitent pas leurs services à l'acheminement du courrier. Vous pourrez évidemment, depuis n'importe quel bureau, lancer un coup de fil (appel local ou à longue distance), déposer un télégramme, expédier ou recevoir un mandat.

P **Courrier.** Si vous ne connaissez pas votre adresse sur la Côte avant de partir, faites expédier votre courrier au service «poste restante» de la localité de votre choix. Ce service, lorsque la ville compte plusieurs postes, est installé au bureau principal. Pour retirer votre courrier, présentez votre passeport (ou, si vous êtes Français, votre carte d'identité nationale).

N.B. Les boîtes aux lettres sont de couleur jaune or et portent un oiseau bleu stylisé. Les timbres sont vendus à la poste, mais aussi dans les bureaux de tabac. Il existe, bien entendu, des distributeurs automatiques.

Télégrammes. Ils sont du ressort des bureaux de poste, mais vous pouvez aussi envoyer un télégramme par téléphone en composant le 36.55 (à condition de disposer d'un téléphone privé).

Téléphone. Vous pouvez établir une communication internationale ou longue distance depuis une cabine publique. Pourtant, au cas où vous n'obtiendriez pas votre correspondant, rendez-vous au bureau de poste ou passez par le standard de votre hôtel. Vous pourrez aussi, si besoin est, demander un appel avec préavis ou en pcv.

Les publiphones, pour lesquels une Télécarte remplace les pièces de monnaie, sont de plus en plus courants. Cette Télécarte (en vente dans tous les bureaux de poste, gares, agences commerciales des Télécoms ou commerçants affichant un autocollant représentant cette Télécarte) permet de disposer de 40 ou de 120 unités de base.

Pour les appels d'une région à l'autre, il suffit de faire les huit chiffres constituant le numéro de votre correspondant. Si vous désirez lancer un appel à Paris ou dans la région parisienne, composez le 16, puis le 1, avant d'effectuer le numéro à huit chiffres. (Dans le sens inverse, le 16 seul suffit.) Pour entrer en contact avec l'opératrice, au cas où vous auriez besoin de son aide, appelez le 36.10.

Si vous désirez appeler l'étranger, commencez par le 19, attendez et composez le numéro de code du pays à atteindre (ces numéros sont répertoriés dans toutes les cabines); puis, effectuez le code régional et le numéro de votre correspondant.

Pour les appels longue distance, les tarifs sont dégressifs le soir et le week-end.

POURBOIRES. En principe, le service (de 10 à 15%) est automatiquement inclus dans la note d'hôtel ou de restaurant. Rien ne vous empêche, toutefois, d'arrondir la somme au moment de payer. Il est d'usage aussi **120** de donner la pièce au chasseur, au pompiste, etc.

Voici quelques suggestions :

Bagagiste (à l'hôtel)	4–5 F.
Femme de chambre, par semaine	20–50 F.
Préposée aux lavabos	1 F.
Garçon	5–10% (facultatif)
Chauffeur de taxi	· 10–15%
Coiffeur	10%
Guide touristique (demi-journée)	10–20 F.

RADIO et TÉLÉVISION. Sur la Côte, on reçoit parfaitement les trois chaînes de télévision nationales (en couleurs) ainsi que, bien sûr, Télé-Monte-Carlo. Certains hôtels ont un salon pourvu d'un récepteur de télévision. Dans quelques établissements, assez rares, les chambres sont équipées d'une «télé» (les radios sont déjà plus fréquentes).

Les émissions des radios nationales et «périphériques» (au premier rang desquelles on citera Radio Monte-Carlo, la station locale) sont également reçues dans de bonnes conditions.

Pour capter les radios belge et suisse romande, il est nécessaire de disposer d'un appareil comportant les ondes courtes. Ajoutons que certaines stations locales diffusent des messages, voire des émissions, à l'intention des vacanciers étrangers.

RAPPORTS HUMAINS. Le soleil généreux du Midi imprègne, comment s'en étonner, le tempérament à la fois fougueux et bon enfant des Méridionaux. Et puis, vous le constaterez, le personnel des magasins, restaurants et cafés s'avère bien plus décontracté qu'à Paris...

La Côte est, depuis nombre d'années, une région de vacances ultra-populaire et ultra-cosmopolite, qui attire autant les gens du Nord de la France que les étrangers. Le résultat ? On note parfois, dans les coins pris d'assaut, une attitude quelque peu blasée à l'égard des touristes, alors que, dans les localités situées à l'écart, la chaleur, l'affabilité spontanée des Méridionaux est plus vivante que jamais. Pourtant, cette amabilité naturelle ne saurait être prise, de la part des jeunes filles, pour une invite à faire fi... disons de la procédure d'approche normale ! Par ailleurs, ne voyez pas une proie facile en telle ou telle Vénus alanguie aux seins dénudés : elle préfère peut-être rester seule ou ne fréquenter que ses amis. Quant aux jeunes Méridionaux, vous les trouverez légèrement moins exubérants que leurs cousins espagnols ou italiens.

121

R RÉCLAMATIONS

Hôtels et restaurants. Les réclamations doivent être adressées au patron ou au gérant de l'établissement en cause. Si vous n'obtenez pas satisfaction, exposez donc l'affaire au commissariat le plus proche. Et si la police elle-même ne peut rien pour vous, adressez-vous au Service du Tourisme de l'administration départementale (préfecture, sous-préfecture).

Marchandises défectueuses. Demandez à voir, séance tenante, le patron ou le gérant du magasin incriminé. En cas d'abus flagrant, déposez une plainte auprès du commissariat de police du coin.

En cas d'abus caractérisé, vous pouvez vous adresser à l' :

Union Départementale des Consommateurs des Alpes-Maritimes, 31, avenue Notre-Dame, 06000 Nice ; tél. 93.80.91.92.

Ouvert lundi et mardi seulement, de 9 h. à 12 h., ce centre accueille toutes les doléances et tente de les résoudre au mieux et au plus vite.

S SANTÉ et SOINS MÉDICAUX.

Voir aussi URGENCES. La fatigue, le changement de nourriture, une exposition immodérée au soleil du Midi, bref, les petits excès de toutes sortes, représentent les principales sources de ces légers maux dont les touristes sont parfois les victimes. Alors, veillez à ne pas trop manger et à ne pas absorber trop d'alcool ! Attention aussi au soleil, dont on a souvent tendance à sous-estimer les effets. En particulier, les jours où souffle le mistral qui vient rafraîchir l'atmosphère. Ne vous exposez donc pas trop longtemps au début de votre séjour et huilez-vous !

Au cas où vous devriez consulter un médecin, ou en cas d'accident, si vous êtes Français et inscrit à la Sécurité Sociale, vous ne serez pas pris au dépourvu. Pour les personnes étrangères, évidemment, la situation peut s'avérer délicate. Aussi vérifieront-elles en temps utile que leur police d'assurance maladie couvre les frais consécutifs à une maladie, voire à un accident survenu à l'étranger. Le cas échéant, renseignez-vous auprès de votre assureur, de votre agent de voyages – ou de votre automobile-club – sur les diverses formules d'assurance à l'étranger (avec rapatriement, etc.).

Cela dit, le Midi ne manque ni de médecins généralistes compétents, ni d'excellents spécialistes. En cas de maladie ou de maux de dents, voyez le réceptionnaire de votre hôtel. Il sera probablement en mesure de vous indiquer un médecin ou un dentiste.

Vous trouverez partout des pharmacies, repérables, là comme ailleurs, à la croix verte frappée du caducée. En dehors des heures d'ouverture habituelles, une liste des pharmacies de garde est apposée à la porte de chaque officine. La nuit, il existe normalement une pharmacie ouverte dans chaque localité importante. Si vous devez subir des piqûres ou recevoir des soins, le pharmacien vous indiquera une infirmière.

SERVICES RELIGIEUX. Le Midi est une région à majorité catholique. Les heures des offices sont portées sur un panneau spécial apposé à l'entrée des localités. Par ailleurs, les protestants ont la possibilité de suivre un culte dans diverses villes comme Saint-Raphaël, Cannes, Grasse, Antibes, Nice, Menton, ainsi qu'à Monaco. Quant aux israélites, ils pourront se rendre à l'Association culturelle israélite, 7, rue Deloye, à Nice, où se réunit la congrégation juive. Contactez le réceptionnaire de votre hôtel ou le Syndicat d'Initiative pour tout renseignement complémentaire.

SUGGESTIONS POUR UN PIQUE-NIQUE. Pour ceux qui aiment les pique-niques, la région s'y prête. L'ombre d'un pin parasol, une calanque ou un coin fleurant bon le thym dans les garrigues... vous trouverez toujours un décor de choix. Dans votre panier, vous aurez quelques saucissons secs, de la charcuterie, des pans-bagnats fourrés de tomates, salade, olives, œufs durs, anchois, oignons et de tout ce qu'il vous plaira. Peut-être aurez-vous emporté un fromage du coin: un picodon (un chèvre), un poivre-d'âne qui tire son nom de *pebre d'ai* (en patois sarriette, dont il est en effet recouvert), un roquefort (fait au lait de brebis) ou une petite tomme arlésienne. Un rosé de Provence pour arroser le tout? Ou un Côte-du-Rhône? Si vous ne pouvez terminer un repas sans manger un fruit, alors croquez dans une pêche, un melon, une figue, un abricot ou une pastèque. Tous ces fruits régionaux sont savoureux et avantageux. Enfin, pour les gourmands, il n'est de plus pur délice qu'un berlingot de Carpentras qui fondra doucement sur la langue. A moins qu'ils ne préfèrent une tartarinade de Tarascon (un bonbon au chocolat) ou un fruit confit d'Apt, de Menton ou de Nice, un petit caladon de Nîmes (gâteau sec aux amandes) ou encore un calisson d'Aix (gâteau à la pâte d'amandes).

TOILETTES. Malgré certains efforts, les toilettes publiques ne sont pas toujours d'une propreté exemplaire, particulièrement sur la Côte. Et l'usage des cabinets «à la turque» peut s'avérer assez folklorique... S'il

T n'y a pas d'interrupteur, c'est que la lumière s'allume lorsqu'on enclenche le loquet. Il existe bien entendu des toilettes modernes et bien tenues, mais la plupart du temps, elles semblent être l'apanage des hôtels et restaurants de bonne catégorie.

TOURISME PÉDESTRE. Les personnes aimant la marche n'auront que l'embarras du choix. La Provence, en effet, est particulièrement riche en sentiers de Grande Randonnée qui traversent aussi bien les garrigues que les rocailles, les terrains légèrement montagneux ou les calanques. Ainsi, vous pouvez vous rendre de Grasse à Manosque en passant par les gorges du Verdon, de Marseille à Saint-Tropez par la Sainte-Baume ou de Nice à Modane par les Alpes. Procurez-vous le numéro spécial de *Randonnée Magazine, Le Randoguide,*, un guide annuel donnant tous les renseignements possibles sur les petites et grandes randonnées en France qui paraît chaque année en mars-avril. Vous obtiendrez également toutes sortes d'informations auprès du:

Centre d'Information de la Fédération Française de la Randonnée Pédestre, 64, rue de Gergovie, 75014 Paris; tél. (1) 45.45.31.02.

La Fédération propose en particulier deux publications utiles aux randonneurs dans le Midi: le *Littoral varois: onze petites randonnées* (réf. 017) et les *Balcons d'Azur* (GR 51). Le Minitel, enfin, n'est pas en reste: tapez 3615, code Rando.

Sur place, vous pouvez aussi vous adresser au:

Comité Départemental de la Randonnée Pédestre des Alpes-Maritimes, 2, rue Deloye, 06000 Nice; tél. 93.09.91.27.

Cet organisme vous aiguillera dans vos projets de randonnées dans la région, que ce soit de vive voix ou par écrit (à condition de joindre une enveloppe timbrée à votre courrier). Il édite aussi diverses publications traitant de randonnées sur la Côte d'Azur: *Rando 6*, une revue trimestrielle, un annuaire des gîtes et des refuges, ainsi qu'un dépliant donnant, entre autres, des adresses de guides et de refuges.

Signalons, enfin, que de gros efforts sont fournis pour améliorer la qualité du logement (fermes-gîtes, chaîne d'hôtels pour randonneurs).

TRANSPORTS EN COMMUN

Autobus et autocars. Les principales agglomérations comme Nice, Cannes, Toulon et Monte-Carlo disposent d'un réseau urbain desservant aussi leurs environs : un moyen particulièrement commode pour qui veut partir à la découverte! Quant aux services d'autocars, tout au long de la Côte, ils sont à la fois pratiques, confortables et avantageux. Prenez contact avec la gare routière de Nice, au 93.85.61.81.

Taxis. Vous en trouverez dans toutes les villes et localités touristiques, ne serait-ce qu'à la gare. Le réceptionnaire de votre hôtel se chargera au besoin d'en appeler un. Si le véhicule ne comporte pas de taximètre, ou si vous prévoyez de parcourir une distance assez longue, convenez du prix au préalable avec le chauffeur.

Trains. La SNCF (Société Nationale des Chemins de Fer Français) exploite un réseau étendu. Une ligne importante longe la côte méditerranéenne, de Marseille à Menton (ligne Paris–Ventimille). Les Chemins de fer français bénéficient d'une réputation qui n'est pas surfaite: leurs trains sont rapides, ponctuels, confortables. La ligne Paris (gare de Lyon)–Nice est desservie en saison par une dizaine de trains (autorails et TGV). Elle bénéficie aussi d'un service auto-couchette quotidien. Si vous aimez les voyages «rétro», la ligne Nice–Digne ne vous décevra pas. Son train à vapeur vous emmènera en saison à travers de superbes paysages provençaux.

Dans toutes les gares, des guichets d'information vous renseigneront sur les divers types de billets que propose la SNCF: billets enfants ou jeunes, carte Vermeil, France-vacances, Eurailpass... (voir pp. 101–102).

URGENCES. En cas de besoin *réel*, où que vous soyez, appelez Police-Secours en composant le 17, et les pompiers au 18. Ces derniers interviennent également dans les cas de noyade ou d'asphyxie. La plupart des plages sont surveillées; mais, ne prenez pas de risques: lorsque vous verrez hissés des drapeaux rouges, vous saurez que la mer est dangereuse (quand elle est calme, c'est le drapeau vert qui l'indique).

Selon le problème, voir CONSULATS, POLICE, SOINS MÉDICAUX, etc.

VOLS. Si vous avez des objets de valeur, déposez-les donc, contre reçu, dans le coffre *(safe)* de l'hôtel. C'est une excellente idée d'y laisser également de grosses sommes d'argent et même votre passeport. En tout cas, ne transportez jamais dans votre sac à main ou sac de plage votre fortune ou vos bijoux.

Une autre sage précaution: ne laissez aucun objet (même sans valeur) en vue, particulièrement dans votre voiture. Si cette dernière est munie d'une radio ou d'un cassettophone, faites-la dormir dans un garage.

En cas de perte ou de vol, adressez-vous sans tarder au commissariat de police le plus proche ou à la gendarmerie (voir POLICE).

T

U

V

125

Index

Les·numéros suivis d'un astérisque (*) renvoient à une carte. Pour les noms commençant par le, la, les, l', voir sous le nom sans article.

Bien que le sommaire des *Informations pratiques* figure en début de guide, à l'intérieur de la page de couverture, le chapitre lui-même ne commence qu'à la page 106.

INDEX

126